藝文歲月

吳懷德著

序言

本書收錄我在《多倫多文藝季》以筆名「城南舊侶」寫的掌故式小文，少年時期曾住九龍城舊城之南，這個署名留下歡樂童年痕迹；後來竟有愛讀拙文的朋友直呼我名為「城南舊侶」，倍覺親切。一九九八年《多倫多文藝季》總主編黎炳昭在創刊號強調辦此雜誌目的是「藝術生活化，生活藝術化」。黎兄計劃出版前曾徵詢我意見，我直言辦雜誌是賠本兼自討苦吃，在西方社會辦中文雜誌更是難上加苦；但我仍鼓勵他迎難而上；並答允只要《多倫多文藝季》一日續刊，我會拼老命每期供稿。當初有人潑冷水謂此類雜誌很難捱過四期，結果出人意表，歷十八年出了七十二期，創造了奇跡，而我亦勉力提供了七十二篇小文。當年經常執筆者有黎炳昭、梁楓、黃榕岫、池元泰、許之遠、蘇紹興、羔羊（陳世彬）、黎全恩、黃紹明等，其中陳世彬、蘇紹興、黎全恩是我讀大學時的前輩，都已謝世多年，今日握筆回想，仍有人琴之痛。

本書內四十一篇稿本，寫作日期是一九九八年至二〇一二年，是我生活在異地的自遣小文，內容環繞近代藝文界人和事，隨想隨寫，資料多出自與一些人物機緣巧合交往，嘗試從零碎材料弄出一點掌故，一點觀點，一點回憶，一點雜談，希望帶出散文和絮語式的抒情氣息。書中有好些情節大家或已有所聞，經我粗略描述，讀者會有多少喜悅或驚訝回應。我強調本書不是什麼研究成果，只要能帶給讀者一絲喜樂、縈迴或輕輕感喟，甚至作為茶餘飯後談話資料，我已心滿意足。

感謝黎炳昭兄和當年一班《多倫多文藝季》文友和我一起在那段快樂日子齊行齊跑。感謝故友兒童文學家何紫女兒何紫薇最近提示我初文出版社有興趣出版本集子，又感謝九十三歲書法家何幼惠老師為我寫封面書題；我深感榮幸，只好在序文末了對他們表示深深謝意。寫此序言時，正是農曆人日，一室充滿冬日陽光，誠意借本書封面饒宗頤教授寫的荷花吉語，陽光中祝願大家兔年及以後日子「日日是好日」，萬事如意，安吉長樂。

吳懷德

二〇二三年一月二十八日（年初七）

於香港

目錄

第一輯

第二輯

第三輯

第一輯

懷念故人——記郁達夫王映霞初會尚賢坊

《明報》二〇〇〇年二月二十二日專訊：「三十年代中國知名作家郁達夫妻子王映霞，在春節大年初二，二月六日凌晨零時在中國大陸杭州悄然病逝，享年九十二歲。」

從一九八七年至一九九二年，我有幸與郁達夫前妻王映霞在上海三次見面傾談，俟後成為君子之交，間中有書信往還。去年夏天，我曾去問候信給她在上海住所—復興中路六〇八弄一號。遲遲未有回音，我已感覺事不尋常，後來才從好友寄來《明報》剪報得悉她早於去年年初謝世。我隨即去信她在深圳大學當副教授的兒子鍾嘉陵，圖查詢王映霞逝世前後情況，可惜原信竟退回給我，信封面貼有條子寫明「查無此人」。

廣州温州和上海

一九二六年下半年，郁達夫應郭沫若之邀請往廣州中山大學任教授及出版部主任，時年三十，原配孫荃居於北平。王映霞同年暑假畢業於杭州浙江省立師範學校，後轉往浙江温州浙江省立第十中學附小教書，時年十八歲。原本郁王二人天各一方，竟然在差不多同時期分別從廣州及温州來上海，萍水相逢，繼而結合，後來更演變成怨偶，似乎冥冥中有定數。個中情節，觸及當時文壇，捲起一陣狂飈。

在一九二六年去廣州之前，郁達夫已與成仿吾等早在上海成立創造社，出版《創造》季刊、《創造周報》及《創造日》等，達夫初期小說〈沉淪〉、〈南遷〉、〈銀灰色的死〉等篇也作為達夫第一本小說集出版，很多青年如痴如醉的喜愛他的作品。一九二六年十一月二十一日，由於上海創造社出版部出現混亂，急需整頓，成仿吾自黃埔來中山大學找郁達夫，一起商議決定由達夫擔任總務理事，要在最短時間內去上海一次，弄清存賬，整頓內容。二十九日，達夫向戴季陶校長辭去大學職務；十二月十五日，達夫自廣州上船，二十七日抵達上海。他原本計劃在上海住一個月，然後往北平接家眷到上海生活。

那邊廂，王映霞在温州教書，她外祖父王二南特別請一位世侄孫百剛關照映霞。百剛新婚後在温州高中教書，亦是杭州人。映霞在温州四個多月，時局變化很大，國民革命軍北伐，一路勢如破竹，温州人心惶惶，草木皆兵。一九二六年十二月中旬，映霞與孫百剛夫婦一家乘最後一班船離開温州，到海門鎮後轉船往上海。抵埗後，映霞探聽往杭州火車班次，又寫了一快信到杭州給她外祖父王二南。王二南覆信謂時局不穩，吩咐映霞隨同孫家暫住上海，順便可查詢能否在上海入讀大學。不久孫百剛夫婦與映霞租住了法租界馬浪路（今名馬當路）的尚賢坊四十號二樓前樓。尚賢坊亦因後來郁王之戀而名噪一時。

尚賢坊四十號二樓

郁達夫《村居日記》一九二七年一月十四日（星期五）記載以下一段：

……從光華出來，就上法界尚賢里一位同鄉孫君那裏去，在那裏遇見了杭州的王映霞女士，我的心又被她攪亂了，此事當竭力的進行，求得和她做一個永久的朋友，中午我請客，請他們痛飲了一場，我也醉了，醉了，啊啊，可愛的映霞，我在這裏想她，不知她可能也在那裏憶我？……南風大，天氣卻溫和，月明風暖，我真想煞了霞君。

上海四川北路有一家內山書店，店主是日本人內山，頗傾心結交中國作家。內山書店藏書豐富，魯迅、郁達夫等都是經常座上客。一九二七年一月的第二星期，孫百剛在內山書店買書，忽然聽到一個極熟的口音與內山以日語交談，原來竟然是留學日本同學郁達夫，二人久別重逢，十分欣喜。達夫告訴百剛過幾天會回北平看看他的家眷。假如那天達夫與百剛沒有在內山書店巧遇，或者達夫早數天已去北平，或者達夫沒有問百剛地址，又或者不順口說過幾天去看他一家，那麼達夫與映霞便沒有機緣在人海茫茫的上海相逢，二人以後便什麼恩怨都不會發生了；可見人總有一個定數而各有緣分的。

一九二七年一月十四日（農曆十二月十一日）上午十時前後，這是一個達夫與映霞都無法忘去的日子和時刻。達夫真的到尚賢坊四十號探望百剛，他一面登上木樓梯直上二樓，一面喊着「百剛！百剛！」映霞給突然傳來的標準杭州口音吸引着。當百剛正介紹他的新夫人時，達夫早已目不轉睛的注視青春貌美的映霞。映霞亭亭玉立，落落大方，全無忸怩造作之態；經介紹後，映霞忽然憶起在學生時代看過一部小說名《沉淪》，原來名作家郁達夫就在眼前，經過一番寒暄後，達夫便叫了一輛車子載着映霞與百剛夫婦到南京路新粵菜館吃了一頓豐富午餐，飯後達夫又提議到卡爾登大戲院看電影。

當日，達夫穿小褂褲和灰色布面羊皮袍子，又穿上一雙白絲襪和黑色貢呢鞋子，頗有一些瀟灑的風度，而那皮袍子是剛兩天前由其妻子孫荃由北平寄給達夫，達夫亦即日發信其妻告以衷心感謝外，還想寫一篇小說，用以換錢寄回北平為她做過年的開銷。回頭看看映霞當日的衣着，她穿一件顏色鮮艷的大花紋旗袍，襯托出勻稱身段，像是夏天晨光熹微中一朵盛開的荷花，在嬌艷中別具清新之氣。

郁達夫在尚賢坊驚艷，神魂顛倒，情不自禁，當天就在日記裏記載與映霞認識的一天是一個「晴暖如春天」的日子。第二天的日記又記錄映霞的生日為舊曆十二月二十二日，並答應送酒一樽，又謂當天是舊曆十二月十二日，距離佳人生日只有十天，希望這一天早點到來。第三天的日記又激勵自己：「寫小說，快寫小說，寫好一篇來去換錢為王女士買一點生辰的禮物。」顯然早已忘記換錢寄回北平的妻子作新年家用。由一月十四日至二十八日的日記，每一天都有記載追求映霞事，頻頻寫道：「王女士已了解我的意思，席間頗殷勤」，「王女士待我特別殷勤」等。達夫認識映霞後即日已陷於苦戀，展開他與映霞人生重要的一頁。

香港來客

一九八七年九月底，我第一次到上海，十月二日午前，我帶着輕鬆的腳步尋訪尚賢坊。舊法國租界馬當路兩旁都有種植法國梧桐，交通繁忙，但轉入尚賢坊則頗寧靜；聞名已久的尚賢坊四十號赫然在目。老實說，我當時並無《亂世佳人》女主角在亂世中午夜重回故鄉從遠處乍見故居仍在時的狂喜心情，亦無魯迅名作〈故鄉〉裏主角歷盡人生變故中年後回鄉時瀟瑟蒼涼的情懷，我只是已尋覓了一種未可筆錄言傳的莫明感覺。

尚賢坊四十號二樓是上海普通弄堂房子的一間前樓，外表已呈蒼老，畢竟已有近百年歷史。我四圍張望，看見一中年婦人在樓下外邊洗衣裳，另外一短衣中年漢子正在屋旁水喉邊洗菜劏魚。我主動向二人打招呼，並禮貌詢問可否讓我上二樓參觀，他們欣然同意，目光的表現是希奇為何我會對一所舊房子產生興趣。我連忙拾級而登，特別留意到樓梯和扶手都非常古舊，肯定就是六十年前郁達夫當日在扶梯上喊着孫百剛名字走上二樓的地方。二樓相當寬敞，軒窗寂靜，擺設簡樸空落，案上有瓶菊，也都覺得搖搖落落，似有追憶故人之態。再到樓下時，我笑問那中年漢子估計我是什麼人，他操上海話大聲説，「阿啦猜儂是房產部單位派來調查屋宇的！」。我笑而不語，回首再細望尚賢坊四十號二樓，然後漫步轉出馬當路，忽然發覺兩旁的法國梧桐都笑臉迎人，我一身早已灑上秋天暖人的陽光。

那天下午，我還往虹口區四川北路底的「內山書店」舊址，現在是一小型紀念館。下午到復興中路拜訪王映霞，映霞告訴我頗多郁達夫的軼事和他們的恩恩怨怨。

《多倫多文藝季》
第十四期（二〇〇一年四月）

王映霞（1987 年）時住上海復興中路

籠鵝家世舊门庭鴉鳳追隨自慚形欲
撰西泠才女傳苦無椽筆寫蘭亭
又錄郁达夫詩爲
懷德先生囑
王映霞一九八七·十·於上海时年八一

朝來風色暗高樓偕隱名山誓白头好
事只愁天妒我爲君先買五湖舟
錄郁达夫舊詩爲
懷德先生囑
王映霞於上海一九八七·十·

王映霞 1987 年書郁達夫兩首絕詩贈筆者

不可思議的翰墨因緣——郁達夫致王映霞的書信

郁達夫（1896-1945）是五四時期名作家，在二、三十年代文壇有崇高地位，現在仍有不少人熱衷研究他的作品和生平。一九二七年初，達夫在上海法租界尚賢坊認識王映霞，翌年五月在上海東亞飯店（舊先施公司）結婚宴客。達夫與映霞的婚戀，以至一九四〇年在新加坡離異的軼事，廣為社會各界關注。

達夫認識映霞不久，曾作〈寄映霞兩首〉，詩情感人，充份表現達夫舊詩功力與才華，盪氣迴腸處確有清代名詩人黃仲則影子。原詩如下：

（一）

朝來風色暗高樓，偕隱名山誓白頭，
好事只愁天妒我，為君先買五湖舟。

（二）

籠鵝家世舊門庭，鴉鳳追隨自慚形。
欲撰西泠才女傳，苦無椽筆寫蘭亭。

一九三一年初，達夫在上海與舊友重逢，席間大家偶談時事，達夫頗有感觸，竟然銜杯不飲。友人問他何以無昔日痛飲狂歌豪情，達夫隨即力作律詩一首，詩中兩名句：「曾因酒醉鞭名馬，生怕情多累美人」。激蕩讀者心靈深處，傳誦一時，百讀不厭。

一九八七年中秋後，我離港赴上海公幹，並懷着敬仰和尋覓五四文人足跡的心願，料不到有機緣認識達夫前妻王映霞。人的偶遇要講機緣，而文物的散聚亦冥冥中註定；或者這是我們平常口中所說的「巧」。在此次與映霞傾談時，她告訴我一段離奇曲折的翰墨因緣，其巧無比，就是達夫十二年來給她的家信，部份曾經至少兩次失而復得，其間不知經過多少曲折。文物遭劫運而留傳，似乎有神靈呵護。我十年前第一次見王映霞時，她已是八十一歲高齡，但絕無顯着老態。居所簡樸，明靜整潔，一塵不染。映霞落落大方，不亢不卑，面容愉快、端莊嫺美、明慧殷勤、平易近人，是真真正正具智慧的才女；使人想像起她六十年前的明媚嫺淑，無怪達夫一九二七年一月十四日，在上海尚賢坊初遇映霞便一見鍾情。達夫在《達夫的日記》記錄這一天的天氣是「温暖如春天」，可見他初遇映霞時的興奮心情，大家可從達夫《日記九種》窺見名士與紅顏的初戀至熱戀情況，當時《日記九種》哄動文壇，牽動不少青年男女情懷。

王映霞知我仰慕達夫文學成就，雖然是初相識，但亦大方述説達夫與她共同生活十二年的軼事。其中資料當屬第一手材料，我在本文只轉述達夫十二年來給她的書信的奇巧妙遇。話説一九三六年二月達夫離杭州去福建就任福建省政府参謀、公報室主任。到一九三八年達夫與映霞感情漸趨惡劣，國事家事糾纏一身。是年秋，日機狂炸湖北，武漢危在旦夕，達夫攜眷避難湖南漢壽。深秋時，達夫隻身返福州工作。十月下旬，日敵將臨武漢，湖南人心惶惶。王映霞帶着三個孩子及寡母愴惶逃難，欲奔福建找丈夫。當時長沙非常動盪，情況險惡，映霞一家在混亂的長沙車站等了兩天才上火車。行李因無法上車，映霞只好把它放在車站行李房；他們一家擠在火車，火車離站後兩小時，長沙全城陷入火海。映霞一家行李包括一個藏有達夫致映霞信札二百多件的小箱，可能已遭燒毀。映霞逃到江山，把三個孩子和寡母稍作安頓後，又再冒敵機轟炸危險折回長沙探聽行李下落，當然更急欲知道達夫的書信下落。站長的回答是：「行李全部燒光了。」映霞懷着無比痛惜心情到福州與達夫團聚，這時已接近年關，不久便一起到新加坡，達夫主編《星洲日報》副刊。一九四〇年五月達夫與映霞無法挽回感情，解約離婚。映霞隨即回國，於一九四二年四月四日與鍾賢道在重慶結婚。達夫繼續留在南洋，於一九四五年九月十七日在印尼遭日敵殺害。這都是後話，容日後有機緣我會與讀者述及這一段歷史。

一筆不能二寫，話分兩頭。一九三九年某日，粵漢鐵路局拍賣處理無人認領的旅客失物，由負責財務會計的燕孟晉監督拍賣工作。在一次工作中，孟晉發覺工作處附近正燃燒一大堆廢紙，他趨前用手杖一撥火堆，赫然看到一大批書信，信封及信內有「映霞」、「達夫」等字樣。燕孟晉是武漢大學畢業生，馬上驚覺到這批書信的無比價值，立刻從烈火中搶救出來。一九四九年燕君將全部信札約二百封帶往香港，後交友人林艾園保管。後來林君輾轉將整批書信帶回內地，得到燕孟晉應允而擁有全部書信；林艾園曾多次欲整理出版而不果。文化大革命時，這批書信又經歷另一場厄運，在林艾園一次抄家中被造反派抄走。到文化大革命後期，由於落實政策，林君家裏被抄走的郁函也發還給他，但抄去的多，發還的少。林君將發還書信藏於一雜物箱中，隨手放在一邊，後來只撿出十多封。一九七六年，林君將此十多封信送還映霞，映霞三十八年後重見失物，恍如隔世，才知道當年長沙車站失物，並非全部毀於戰火。

這批書函的曲折命運，還未了結，一九七九年春節，林艾園清理家中儲物間時，在底層舊報紙堆中，又發現殘存郁函夾在當中，幸未被蟲蛀鼠咬。這一次發現的郁函與先前已送回映霞的部份合在一起，正是文化大革命後發還他箱子裏檢回的全部剩餘郁函，珍貴文物又一次歷劫而幸存。

歷劫歸來的郁函，計有九十四封，全部是致王映霞，其中第一封信寫於一九二七年一月二十八日，是初認識映霞後兩星期；最後一封信寫於一九三八年九月二十八日，是達夫離湖南赴福州途中的家書。九十四封信的持續時間約十二年，剛巧郁王的婚後生活亦是十二年。林艾園深恐文物再有劫運，與王映霞商量後將全部九十四封信贈送給上海圖書館。此批文學遺產肯定對研究郁達夫起重大作用。其中一封信是寫於一九二七年三月六日午後，信後附前面所錄的〈寄映霞兩首〉，是非常珍貴資料，當時王認識不過兩個月，達夫在詩內已隱約有與映霞往歐洲結婚之意。

王映霞告訴我已忘記在一九三八年在湖南長沙車站失去達夫書信有多少封。一九三九年，燕孟晉

1987 年王映霞於《郁達夫日記集》上題簽

在粵漢鐵路局工作時在烈火焰中撿回的郁函有二百封左右，一九七〇年代文革後期林艾園獲發還被抄的約有一百封左右，這可算是餘燼中的「餘燼」，未獲發還的包括達夫在福建所寫家書都在文革抄家後失踪，至為可惜。筆者相信失落書信仍在私人手裏約有一百封。合掌祝禱有朝一日，這批剩餘書信以火鳳凰姿態重現人間，這都是愛護達夫映霞者誠心所願。

《多倫多文藝季》

第一期（一九九八年一月）

略談六十年前郁達夫〈南天酒樓餞別映霞詩〉

郁王星加坡離異

一九三八年，郁達夫王映霞夫婦關係已非常惡劣。該年年底，達夫匆匆由福州赴星加坡《星洲日報》工作，映霞亦及時從湖南趕到福州會達夫，她在南渡星加坡前寫了以下一首詩送給一個舊同學。

烽火長沙夜入吳，殘年風雪過閩都。
一帆又渡南溟島，海國春來似畫圖。

根據王映霞親口述説，她當時寫此詩時心情極壞，因為與達夫感情日差，就是南國的蕉林柳樹、碧海青天，也不能使她心情愉快起來。一九八七年，我在上海走訪映霞，她即席用宣紙書寫上述舊作送給我作留念，書法秀麗而有勁力。她學有淵源，不愧是南社詩人王二南的外孫女。

達夫與映霞到星加坡後，感情並無好轉，反而更貌合神離。一九三九年初，達夫應香港《大風旬刊》編者陸丹林邀請，從一九三六年至一九三八年的詩詞作品，選出詩十九首及詞一首，加注編成《毀家詩紀》，發表在《大風旬刊》三十週紀念特大號（一九三九年五月三日），並且連續再版三次，可見異常吸引讀者。王映霞因刺激過深而引起極大反感情緒，立即寫了〈請看事實〉與〈一封長信的開始〉兩篇答辯文章給陸丹林。兩篇答辯文章登載《大風旬刊》後更轟動文壇，促使郁王關係更勢如水火。一九四〇年三月，映霞在短時期內第三次向達夫提出離婚。雙方簽字後，映霞獨自到離星加坡八十海里的小島名廖內，在前杭州女子師範學校同學李佩芬家暫住。達夫五月三十一日在香港《星島日報》登載與映霞的離婚啟事，題為〈郁達夫啟事〉。達夫好朋友易君左多年前曾作詩稱讚郁王為「富春江上神仙侶」，二人不幸最後仍要效勞燕分飛。

達夫〈南天酒樓餞別映霞〉詩

郁達夫離婚後，五月二十三日與王映霞道別，即夜寫成餞別詩二首，詩題為〈南天酒樓餞別映霞兩首〉，現錄第一首如下：

自剔銀燈照酒卮，旗亭風月惹相思。
忍抛白首盟山約，來譜黃衫小玉詞。
南國固多紅豆子，沈園差似習家池。
山公大醉高陽夜，可是傷春為柳枝？

這首詩無疑是達夫代表作，寫得清新流利，哀婉動人。作者隱然自喻南宋名詩人陸游，晚年仍眷戀當年沈園舊侶，並以「紅豆生南國」詩意襯托相思。

是否有「餞別映霞」一事

〈餞別映霞〉詩，是郁達夫佳作，無庸置疑；問題是究竟是否真有「南天酒樓餞別」一幕，這一點是歷來研究郁達夫頗具爭議的問題。王映霞曾多次在朋友面前及自傳中強調並無此事，郁王長子郁飛在〈雜憶父親郁達夫在星洲的三年〉一文中亦無隻字提及此事，達夫其他著作更無提及「南天酒樓餞別映霞」一事或有任何人作陪餞別。根據達夫的浪漫性格，筆者傾向相信並無其事，頂多是「自斟自酌以別映霞」，又或者當日與友人在南天酒樓有飯局，觸景生情而詩興大發，即時或飯後寫成此詩。

南天酒樓位於華人區鬧市中心大坡二馬路。達夫對此酒樓有特別感情，因為是他、映霞與郁飛初來星加坡時（一九三八年十二月二十七日）投宿處，住在二樓八號房；第二天有各報記者在酒店內訪問他。一九三九年九月三十日，達夫與映霞曾到南天酒樓拜訪名演員王瑩，又是他們一家老朋友。當時王瑩剛從西貢來星加坡公演，演活了抗戰著名話劇《放下你的鞭子》裏香姐一角色。筆者七年前曾往星加坡公幹，工餘特意逕往唐人區尋訪達夫的舊遊地，樓高三層而樸實無華的南天酒樓赫然呈現眼前，我一時彷佛身處時光倒流五十多年，人叢中的我幾疑詩人擦肩而過，但又有幾許行人過客認識南天酒樓曾經留下詩人悲歡交織的腳蹤！

郁達夫的舊詩功力深厚，很多時刻意凸出及賣弄浪漫，往往側重「情景」，而忽略「實情」，筆者試舉出下列三個實例：

例一：一九二七年一月十四日，達夫初遇映霞於上海尚賢坊，在不足三個星期後，身為有婦之夫的達夫已很想馬上帶映霞出國到巴黎或南歐威尼斯和翡冷翠。該年三月六日上海寫〈寄映霞〉，詩云：

朝來風色暗高樓，偕隱名山誓白頭。
好事只愁天妒我，為君先買五湖舟。

詩內「為君先買五湖舟」，就是「攜映霞出國」的意思。其實達夫並無任何出國的行動，只是想當然而已。

例二：〈南天酒樓餞別映霞〉詩寫成後兩個星期，達夫在一九四〇年六月六日《星洲日報》晚版「繁星」登載另一首著名七律〈寄映霞〉，後四句云：

縱無女子齊哀社，終覺三春各戀暉。
愁聽燈前談笑語，阿娘真個幾時歸。

所謂三春，有雙重意義，一是指與映霞所生的三子，名陽春、殿春與建春，當時陽春（郁飛）在星加坡與父母同住；二是化用孟郊「誰言寸草心，報得三春暉」之意。達夫詩題謂：「與王氏別後，託人去祖國接二幼子來星。」其實達夫並無任何行動去接其他二子來星加坡，而且翌年更安排長子回國由友人代養，可見達夫詩中頗多偏重情感而忽略事實。

例三：達夫在《毀家詩紀》中，自我暴露而成為一種病態，並無設身處地替映霞着想，令人極盡難堪，甚至在一九四〇年六月六日離婚後不久發表散文〈嘉陵江上傳書〉（致林語堂），信中說：「王氏與弟完全脱離關係，早已於前月返國……我只在好望她能好好過去，重新做人，若一再誤再誤至流為社會害蟲……。」但另一方面，在〈餞別詩〉中則謂：「自剔銀燈照酒卮，旗亭風月惹相思」，在〈寄晚霞〉詩則謂：「愁聽燈前談笑語，阿娘真個幾時歸。」翌年在〈自嘆〉詩又謂：「異國飄零妻又去，十年恨事數番經。」上述達夫各詩詩意天真空靈而與事實有距離，使人疑幻疑真，可見達夫心情相當矛盾與複雜。

後語

郁達夫〈南天酒樓餞別映霞〉詩，本來未有收入《毀家詩紀》，是達夫等映霞離星加坡後才加進去。縱使真的從沒有「餞別映霞」一事，詩既已寫成，總算還有一份天真感情在其中。映霞口口聲聲說不要接受這種情感，並譏笑達夫有浪人的性格，恰似星加坡天氣，時而狂熱，時而暴雨，而且在國內離婚啟事內惡意批評達夫「思想行為，浪漫腐化，不堪

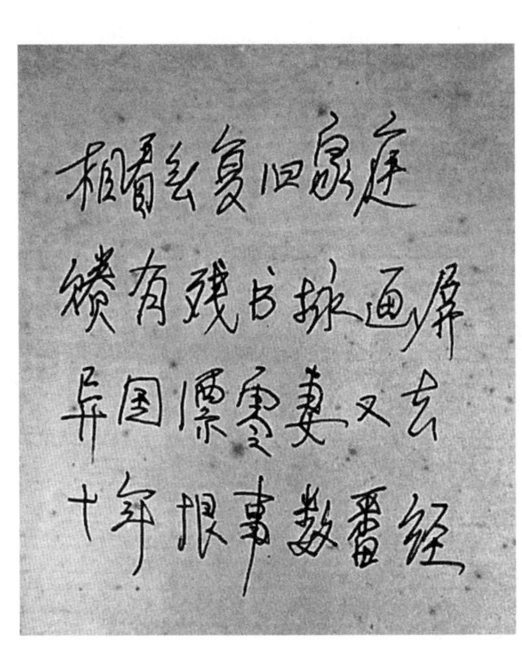

王映霞親筆書寫郁達夫〈自嘆〉詩

同居。」但套用王映霞自己在《王映霞自傳》裏的動人剖白：「……郁達夫還是在愛着我的，我也並沒有把他忘記，四十多年來，他的形象，他喜怒哀樂的神情，我依然是存入心底深處。」可見郁王的感情是「剪不斷，理還亂」，糾纏不清，最後各走極端而形成分飛悲劇。筆者有時不禁自問自答：假如達夫沒有南洋之行，他在國內文壇更會大放異彩；假如達夫不接受《星洲日報》邀請而改投香港《星島日報》在香港發展，香港文壇肯定會受正面影響；又假如郁王沒有婚變，而二人又在星加坡淪陷前回國，達夫便不會在印尼遭難，我們便又會欣賞到更多姿多彩的達夫美好作品。無論如何，作為達夫映霞二人的愛護者，我們應多着眼他們的優點，而不是拿着顯微鏡專門去挑剔他們的弱點。達夫的眾多短處是無法掩蔽一個事實——達夫是五四運動後我國最偉大的浪漫詩人，他巨大的文學足印已為我國文化發展跨進一大步，他永遠活在我們的心裏。

《多倫多文藝季》

第十一期（二〇〇〇年七月）

王映霞親述與郁達夫婚變前後及有關人物

前言

筆者曾寫數篇小文章，談及郁達夫殉國、詩聯創作、生活等。讀者如有閱讀郁達夫《日記九種》，必會陶醉當年達夫追求王映霞的浪漫氣氛。何解二人結婚十二年且有三個孩子竟以離婚收場？筆者試從王映霞口中探聽其中因由及有關人物，現整理一些陳舊資料，未知能否解開部份疑團。

一九九二年的上海復興中路

一九九二年十月，筆者往上海公幹，事前已在信裏約了王映霞作第二次見面，距離初次拜候她已有五年。她仍住在復興中路608弄一間整潔小房子，由一位遠房女親屬照料起居，年紀已八十七歲。我上午十時準時抵埗，她外出未返，候了約十分鐘才見她緩步返家，原來她去了附近糧店排隊購買上海糕點專誠招待我。她身形略纖瘦，頭髮花白，相當健康，大方得體，隱約見她當年被稱為杭州「四大美人」之首的風範。因為我們以前見過面和多次通信，大家對坐無拘無束談郁達夫生平及日軍侵華時一家在浙江、江西、湖北和湖南的顛沛流離；很快便轉到郁王婚變話題。我大膽詢問其中一名關鍵人物，即郁詩上「一飯論交自為媒」的所謂第三者，映霞連忙在桌子上一舊信封底寫上「許紹棣」三字遞與我，然後操濃厚浙江口音的普通話細說當年種種情況，我亦隨手將寫上「許紹棣」三個字的舊信封收起。我們談了近兩小時，大部份時間都是環繞她與既愛且恨的郁達夫，我詫異她的坦白和對我的信任。

毀家裂痕

郁達夫是真性真情的人，心裏有什麼便說什麼，他的好友畫家劉海粟便形容他「敢想、敢做、敢怒、敢罵、敢笑和敢哭」，但王映霞則說達夫喜怒無常，多疑善妒和說話不饒人，作為妻子承受極大壓力。一九三八年三月，日軍已席捲華北、華中。郁達夫離開福州諮議工作單位，先到浙江麗水接正在避難的妻子及三小孩，經南昌、九江到武漢，這時郁王已因家庭糾葛引致感情出現裂痕，誘因是他們的好友許紹棣（當時任職浙江教育廳長）多次接觸郁王而惹郁極度反感，甚至疑心許與其妻有染。是年七月，達夫全家避地湖南漢壽，由好友易君左介紹住在城北蔡天培醋舖的一棟古老平房。這時郁王因感情問題口角有增無減，二人醋勁大，住在醋舖裏更是醋上加醋，達夫舉動惡劣，極度使妻子難堪，最尷尬莫如印了一套柯羅版，將許紹棣寫給王映霞的所謂情人信札，印成多套，分贈各方友好以留紀念，走難時期，仍作此種無聊事，可見達夫之天真和妄顧後果，超過半個世紀後，映霞憶述此事時仍憤憤不平，強調與許紹棣關係只屬家庭好友，毫無越軌，達夫無中生有，可算是患妄想症。在武漢時，一日映霞外出應酬，臨夜仍未返，達夫見屋角有其妻洗染未乾紗衫一襲，妄想毛病又發作，竟在紗衫上題筆寫上「下堂妾王氏改嫁前之遺留品」，全無顧及妻子感受。後來經各好友規勸下，二人言歸於好，共簽《協議書》，見證人包括《東南日報》社長胡健中。可惜二人缺裂並無癒合，復合僅是迴光返照，未能持久。

《大風》毀家

郁王簽署《協議書》後約五個月，郁達夫應星加坡《星洲日報》社長胡昌耀之聘任編輯工作，一九三八年十二月二十八日，郁王偕長子郁雲乘船抵星加坡。夫婦本應相安無事，達夫無端又以文字將家事自我暴露，引起無波生浪。事緣一九三九年三月為香港《大風》旬刊出版週年紀念，編者陸丹林為郁王好友，達夫竟私自應約將一九三六年至一九三八年寫的詩十九首，詞一首加註釋編成《毀家詩紀》，在《大風》旬刊第三十期週年特大號發表，內容非常露骨，一時轟動文壇。《大風》旬刊因而銷路大增，連續再版三次，讀者耳熟能詳的第十二首上四句：

> 貧賤原知是禍胎，蘇秦初不慕顏回；
> 九州鑄鐵終成錯，一飯論交自為媒……

內容直指王映霞不貞嫌貧，使王極感窘迫，隨即在《大風》旬刊第三十四期刊登〈一封長信的開始〉，作為反擊達夫。《大風》甚至刊載映霞寫給陸丹林的抗辯信，擅自加上「請看事實」的大標題，使郁王關係更形水火，讀者恍如看電視劇集。半年後郁王在香港《星島日報》及重慶《中央日報》各自刊登離婚啟事，距離他們踏足星加坡只一年半。《大風》旬刊在郁王婚變一事，為求銷路，興波作浪，煽風點火；主編陸丹林不顧多年友情，受郁王親友一致指責。

許紹棣的結局

許紹棣畢業上海復旦大學，在上世紀二十年代曾任職香港工商銀行，後轉任杭州《國民日報》社長，三十年代任浙江教育廳長，與文化界交往頻繁，與郁王友善。郁王婚變有複雜原因，據王映霞親口說，許紹棣被拖落水是無辜的，因為許當時已有三名女兒，妻子剛病逝，有要職在身，絕無可能橫奪好友之妻而影響其政治前途。王映霞承認的確曾作媒介紹女畫家孫多慈與許紹棣認識，許與王因此事而有書信往還，引起達夫不滿和誤會。抗戰勝利後，孫多慈嫁許紹棣作第二任妻子，這時王映霞早於數年前於重慶與三北輪船公司經理鍾賢道結婚。在一九四四年及一九四五年誕下子女各一。

孫多慈是才女，她曾祖父孫家鼎是狀元，官至大學士，為光緒皇帝師傅，獲西太后重用。孫多慈是徐悲鴻任中央大學美術系主任的得意學生。一九三四年，多慈曾因採相思紅豆送給徐悲鴻而傳出藝壇師生戀緋色流言，但無開花結果。許紹棣與孫多慈婚後伉儷情深，可惜多慈一九七五年在台灣病逝，只得六十三歲，許從此過着獨居生活，默守排滿四壁的多慈畫作，於一九八〇年病逝，二人骨灰合葬陽明山畔。

後記

郁達夫是「五四」運動以來卓有成就的文學家，新文學前五名大作家，他應佔一席位。他是早期新文學團體「創造社」的中堅；他的舊詩絕不在他好友魯迅和郭沫若之下，與他少年同學徐志摩的新詩，各領風騷。達夫確有中國文人的大模樣，只是複雜的性情影響他一生；他不時在得失苦樂中極度坦率，言行中過份自我暴露到驚人程度，只為求一時自我陶醉，最後自己受害，亦糟蹋大好家庭，非常可惜。王映霞是一才貌出眾的時代女性，達夫幾生修到，與映霞結為神仙侶，硬巴巴說她與許紹棣有染，且公諸於世，對映霞極不公道，況且映霞出身書香世代，不會如達夫指述她至於這樣淺薄寡德及楊花柳絮。郁達夫的《日記九種》，促成郁王結合，十二年後他的《毀家詩紀》卻斷送一雙「富春江上神仙侶」，使無數愛護郁王者握腕感喟。王映霞謂曾為鮮花所迷戀，也曾被荊棘刺得鮮血淋漓，不過直到晚年，她沒有忘卻達夫，這是她親口對我說的。

一九四五年九月十七日，日本投降後約一個月，達夫在印尼蘇門答臘武吉丁宜郊區遭日兵殺害，不知葬身何處。浙江富春江畔的鸛山現建有雙烈亭，是紀念達夫和他長兄郁華烈士（著名法官，一九三九年遭敵偽殺害於上海。）

王映霞晚年有子女妥善體貼關顧，達夫殉難五十五年後，映霞於二〇〇〇年以九十五歲高齡在杭州逝世，與其第二任丈夫鍾賢道同葬杭州玉皇山麓一個雙穴，距離上述雙烈亭和三十年代郁王的家「風雨茅盧」不會很遠，但離開達夫葬身的印尼武吉丁宜，卻是很遠很遠；世事滄桑，人面全非，當年恩怨種種，已隨風飄逝，只有那洋溢春風的西湖堤畔，年年依舊——牽衣楊柳，帶笑桃花。

《多倫多文藝季》

第四十六期（二〇〇九年四月）

郁達夫遺囑的最後心聲

郁達夫最後遺囑

郁達夫在一九三八年底至一九四五年八月底在南洋渡過他一生最後的幾年，其間有頗多際遇是值得研究的。根據王映霞口述，達夫是在一九四五年八月二十九日夜遭擄後為日憲兵以臂勒斃，犧牲前七個月曾寫下最後一篇遺囑，全文如下：

「余年已五十四歲，即今死去，亦享中壽。天有不測風雲，每年歲首，例作遺言，以防萬一。自改業經商以來，時將八載，所得盈餘，盡施之友人親屬之貧困者，故積貯無多。統計目前現今，約存二萬餘盾，家中財產，約值三萬餘盾。『丹戎寶』有住宅草舍一及地一方，長百二十五米遠，寬二十五米遠，共一萬四千餘盾。凡此等產業及現款金銀器具等，當統由妻何麗有及子大雅與其弟或妹(尚未出生)分掌，紙廠及『齊家坡』股款等，因未定，故不算。

國內財產，有杭州場官弄住宅一所，藏書三萬卷，經此大亂，殊不知其存否。國內尚有子三：飛、雲、荀，雖無遺產，料已長大成人。地隔數千里，欲問訊亦未由及也。余以筆名錄之著作，凡十餘種，迄今十餘年來，版稅一文未取，若有人代為向出版該書之上海北新書局交涉，則三子之在國內者，猶可得數萬元，然此乃未知之數，非確定財產，故不必書。

乙酉年（1945年）元旦」

上列達夫最後遺囑，是一九四五年二月十三日（陰曆乙酉年大年初一）在他好友蔡清竹處寫下。文內提到「天有不測之風雲，每年歲首，例作遺言，以防萬一。」，可見他亦自知身處險境，隨時遭日敵查詢。又自謂五十四歲，其實是達夫有意誇大自己年歲，並且刻意蓄鬚偽裝，人稱其為「趙鬍子」，實則掩人耳目，達夫在一九四五年為五十歲。文內又謂「自改業經商以來，時將八載」，亦是偽稱，因為達夫經營「趙豫酒廠」約三年，所謂「時將八載」，應是虛報，以免人啟疑。達夫又提到之『丹戎寶』，位於巴爺公務附近，他購有地一方，闢為椰園，種植椰樹三十株。

為要明白了解郁達夫心理狀態，我希望各位讀者細心閱讀達夫遺囑並揣摩其文內意思。達夫在遺囑婉轉提到他在杭州場官弄舊居，心愛的藏書，與王映霞生的三個兒子與及與繼室何麗有生的兒子及尚未出生的嬰兒。我現嘗試就這幾點與各位讀者分享，並探索當時達夫的心路歷程。

杭州「風雨茅廬」

郁達夫對杭州是情有獨鍾。達夫最後寫的遺囑，提到國內財產有杭州場官弄住宅一所。這就是在杭州大學路著名的「風雨茅廬」，一說到「風雨茅廬」，知音者便會聯想到達夫與王映霞，猶如「緣緣堂」代表豐子愷一樣。郁達夫素來不講究居所，自從一九三三年四月自上海遷居杭州，忽然與映霞興起自家擁有一所屋子的心願，並且付諸實行。達夫在〈住所的話〉裏寫過這樣的一番話，希望在杭州有一個潔淨的小小住宅，可以舒適地飲酒、美食、午睡、看書和寫作。「風雨茅廬」佔地約一畝多一些，一九三五年底動工，一九三六年春季完成，耗資一萬五千多元，屬磚瓦平房，分為三部分，一為座北朝南的三開間正房，二為後花園內三間書屋，三為廚房和浴室等小屋。在西南牆腳的角上朝外安放了一塊界石，有達夫親筆寫「王旭界」三個字（王旭是映霞本名）。達夫曾把「風雨茅廬」的名字解釋為「避風雨的茅廬」。客廳懸有「風雨茅廬」匾額，有人謂達夫本人親筆提寫，這是不對的，其實是達夫趁老朋友馬君武（1880-1940）來杭州之便，硬要他伸出痛風的右手寫成。「風雨茅廬」四個大字兩旁配掛着魯迅親筆詩作「阻郁達夫移家杭州」，屋內還掛有清代詩人龔定庵（1792-1841）的兩行詩句：「避席畏聞文字獄，著書都為稻粱謀。」

一九四六年抗戰勝利後，王映霞隻身回上海定居，杭州「風雨茅廬」由其弟安排出售，買主後來移居美國，時郁達夫已在印尼遇害。一九四九年解放後，「風雨茅廬」收為國有，成為派出所，後來有人建議改為「現代浙江籍作家作品陳列室」，不知結果如何。一九八一年十月魯迅百年誕辰紀念時，有多位學者還訪問「風雨茅廬」舊址，見到郁達夫書寫的「王旭界」那塊界石，仍然立在西南面牆腳，面對夕陽衰草，使人低迴不已。

「風雨茅廬」在一九三六年春完成，（郁達夫沒有長住）根據達夫的《閩遊日記》，他在該年二月二日由杭州乘火車到上海，然後乘船南行福州上任新職，只是偶爾回來小住。一九三七年七月抗戰爆發，日軍長驅直入，進犯杭州，達夫一家逃往內地。隨着是郁王二人感情日益惡劣。無論如何，「風雨茅廬」之名和達夫映霞二人是分不開的，達夫在國內置業亦只有「風雨茅廬」一間，難怪十九年後寫的最後遺囑，達夫仍念念不忘他與映霞共同籌建的舊居，不過我總覺得房子的命名有點怪異。其一「風雨茅廬」有「風雨飄搖」的隱喻，其二聞説房子建成後，有人向達夫建議在東南角上造一小樓，達夫自取樓名「夕陽樓」，又有「近黃昏」的隱喻，後來不知什麼原因，這加建沒有完成。總之「風雨茅廬」和「夕陽樓」的命名，都帶有「飄零」

與「俱往矣」的不祥之兆。

郁達夫元配及子女

一九一七年六月，達夫自日本神戶回國，這是出國後四年第一次歸來。其母為他與富陽同鄉孫孝貞之女孫荃（1897-1978）訂下親事。達夫雖不願，但為順從年邁母親勉強接受此段包辦婚姻。為表示不滿，達夫再三拖延完婚，並有詩寄孫荃謂：「此身未許緣親老，請守清閨再三年」。是年九月，達夫離鄉回日本繼續攻讀。一九二〇年暑假，達夫在母親及未婚妻孫荃家力催下，於七月十四日自橫濱坐船回國結婚，行前坦白寫信給長兄郁華謂：

「結婚事本非文（達夫）意，然女家疊次來催，……是以弟不得已允於今年暑假歸國，簡略完婚。」

一九二〇年七月二十四日，達夫在富陽與孫荃完婚，一切從簡，未有花轎鼓手及拜堂，只開二酒席，亦無所謂送洞房及點花燭。婚事完畢，達夫於該年九月下旬趕回東京帝國大學就學。達夫元配孫荃是一名典型傳統舊式女子，知書識禮，頗有文學根底，與達夫訂婚後及結婚後，都有詩詞唱和，達夫亦頗尊重孫氏，稱其為「荃君」，多次謂「愛孫氏德也」。二人婚後不久，達夫在一九二〇年十一月三日的日記寫下如下一首非常感人律詩：

生死中年兩不堪，生非容易死非甘。
劇憐病骨如秋鶴，猶吐青絲學晚蠶。

一樣傷心悲薄命，幾人憤世作清談。
何當放棹江湖去，蘆荻花間結淨庵。

此詩發表於十一月號的日本《太陽》雜誌。發表時題為「病中示內」，末句改為「淺水蘆花共結庵」。從詩的內容觀察，達夫對孫荃不能説完全無感情。

孫荃與達夫生下三男一女：子龍兒（1922-1926），子黎民（1925- ），子天民（1926- ）及女正民（1927- ）。龍兒五歲在北平因腦膜炎不治夭折，達夫極為傷心，〈憶龍兒〉便是追念愛子的力作散文，記敘在滿園秋色中與龍兒同摘棗子情景，全文情景交融，文中達夫謂自愛兒死後，最怕是不眠秋夜靜聽棗子從樹上掉下來觸地聲音。非常動人。

達夫始終不滿意包辦式婚姻，於一九二七年初認識王映霞後與孫荃分居，但一直未有正式離婚。孫荃克盡婦道，在故鄉富陽生活，堅忍照顧兒女及達夫母親陸氏。孫荃得享高壽，於一九七八年病逝。

郁達夫第二位妻子王映霞及子女

王映霞（1908-2000），本姓金，名寶琴，從小過繼給外祖父王二南，由外祖父養育人；十三歲改姓王，名旭，字映霞。一九二六年暑期畢業杭州省立女子師範學校，後到溫州第十中學附小任教。一九二七年一月寒假到上海寄居馬浪路尚賢坊孫百剛家。郁達夫與王映霞第一次見面就在孫家中；這一次會面，奠下郁王十三載恩怨情仇，內容錯綜複雜，其間達夫的《日記九種》、《毀家詩記》及映霞在香港《大風旬刊》的回應文章，轟動文壇。一九八七年十月，我往上海公幹，刻意尋訪尚賢坊；郁王初見面之樓房赫然仍在，恍如時光倒流。

一九二七年一月十四日，達夫初次映霞後便一見鍾情，經過半年交往於六月五日在杭州聚豐園菜館舉行訂婚儀式。有人從達夫《日記九種》的記錄有關請客一事，以為是正式結婚，真實是不正確的，是雙方在相識後確定關係，而向親友邀宴，稱為「訂婚」。杭州聚豐園菜館訂婚儀式中，出席有雙方家長代表郁浩（達夫二兄）及王二南（映霞外祖父）以及介紹人周天初和孫百剛夫人，共到賓客四十餘人。有研究達夫學者謂郁王是一九二八年二月二十一日在日本東京精養軒舉行結婚儀式，且有請帖為證，這亦是不正確。郁王起初是有意在東京結婚，後因經濟不足而沒有成行。後來於該年三月一日改在上海東亞飯店請了二桌客，請的都是最熟朋友，算作公開二人夫婦名份。十二年後，郁王感情缺裂，誤會重重，糾纏不清，清官難審。二人終於在一九四〇年三月在星加坡離婚，映霞在五月索回護照後即離星加坡回國，經香港時請詩人戴望舒在《星島日報》單獨登載離婚啟事，內容謂：

> 郁達夫年來思想行動，浪漫腐化，不堪同居，業已在星洲無條件協議離婚，脫離夫妻關係，兒子三人統歸郁君教養，以後生活行動，各不干涉……。

郁王婚後育有四子，即郁飛（幼名陽春 1929-　）郁雲（幼名殿春 1931-　），郁亮（幼名耀春 1933-1935）及郁荀（幼名建春 1936-　）；另有一女，名靜子（1929-1934）。靜子愛哭鬧，映霞謂達夫不怎麼愛她，滿月後由映霞母親帶回杭州撫養，三年後回上海其父母處。達夫仍對此女無好感，多次嚷着要送給人家，映霞拗不過他，最後由達夫抱到浙江交給一保姆帶養，不到兩年生病去世。郁王第三子郁亮（耀春）亦於二歲時患腦膜炎夭折，是由感冒引起肺炎，再轉症腦膜炎，從生病到去世不足一個月。達夫十分疼愛郁亮，在他夭折後第三天即寫成〈記耀春〉散文一篇以及〈誌亡兒耀春之殤〉七律六首，以寄傷感。

一九三八年底郁王赴星加坡前，留郁雲及郁荀在浙江親友處，只帶長子郁飛隨行。二人離婚後不久，郁飛由其父托友人帶回浙江親友處寄養。郁飛在文化大革命時遭關押，妻離子散，衝擊頗大。平反後在一家出版社工作，並已組織新家庭，我曾見郁飛與其母在文化大革命後一張合照，發覺郁飛滿額白髮，神態蒼老，驟眼以為是映霞之弟。郁雲及郁荀因自幼與母分離，與映霞感情非常淡薄，郁雲更與其母有數十年沒有來往，郁荀曾在雲南省大學工作，不知是否已退休。

郁達夫第三位妻子何麗有及子女

一九四二年初，星加坡處於日敵海空軍的封鎖。形勢非常危急，郁達夫於二月四日晚乘小電船離星加坡危城，輾轉逃亡蘇門答臘巴東一帶。為隱藏其特殊敏感身份，達夫化名趙廉，並開辦酒廠「趙豫記」，於一九四三年九月十五日在巴東與何麗有（1922-　）結婚。何麗有祖籍廣東台山縣，原名陳蓮有，十歲時因家境極度困難，被賣與何家作養女，改姓何，後隨何家出國定居蘇門答臘巴東。何麗有文化水平低，識字有限，有人謂何麗有之名是由郁達夫改的，自嘲其妻「何麗之有？」，不知此說是否屬實。婚後達夫麗有生下兒子大亞（後改名大雅 1944-　）及女兒美蘭（後改名梅蘭 1945-　）。美蘭是在其父達夫一九四五年八月二十九日晚上遭日敵擄後翌日出世。一直到達夫失踪及以後一段頗長日子，何麗有不知自己丈夫趙廉就是名震文壇的郁達夫；其實達夫開辦的酒廠「趙豫記」，其中「趙豫」二字，就是「郁」字的速讀連音。大約在七十年代，何麗有、郁大雅及郁梅蘭已移居香港，一度住在新界安置區，生活清淡，大雅曾任藍領，不知三人現在情況如何。

郁達夫在星加坡的紅顏知己

一九三八年十二月二十八日晨，郁達夫王映霞及兒子郁飛乘豐慶輪抵達星加坡。翌年元旦後達夫接編《星洲日報》早報副刊「晨星」和晚報副刊「繁星」，後來又接編星期日的文藝欄與《星洲月刊》的編輯工作。一九四〇年三月，達夫映霞間感情裂痕難以彌補，終於離異。映霞五月離星加坡回國，郁飛於二年後由其父親托人帶回國，時郁飛十三歲。

一九四一年，世界局勢趨惡化，戰雲密布。達夫離婚後稍平淡的生活忽然平添色彩，因為另一位紅顏知己闖進其心境。女主角名李小瑛，福州人，上海暨南大學文科畢業，年青漂亮而聰明，中英文水平高，能說上海話與國語。達夫亦來自上海及福州，二人異地相逢，有說不盡的話題。不久，達夫亦不避嫌，把書房借與女朋友入住，關係日益密切。小瑛在英國駐星加坡情報部工作，後來任職星加坡電台國語播音員。郁飛以小瑛分享其父愛，對父親女友無大好感；小瑛卻關切愛護郁飛，時常帶他外出消遣，一起看電影及贈送玩具禮物。一直到今日，郁飛仍然保存一條俄羅斯厚毯，就是一九四二年一月，郁飛臨離開星加坡時由這位李小姐贈送。

大約一九四一年中，達夫通過李小瑛推薦兼任英國情報部辦的《華僑周報》主編，小瑛亦突然搬離達夫家，二人終沒有結合，個中原因不明確。有謂達夫曾對人說：「我兒子不贊成。」但恐非主要因素。雖然如此，其後有一段日子，二人密切關係有增無減，直到一九四二年二月初，敵軍臨星加坡，二人分別先後撤離危城。小瑛是隨英方退往爪哇巴城，後來轉往印度；達夫則撤往蘇門答臘保東村，身陷困境，心中仍時常眷念李小姐，他將熾烈情感凝煉成情意纏綿的〈離亂雜詩〉，其中前七首內容涉及親密女友，並刻意仿傚唐代詩人李商隱〈無題〉之感人詩意。此外，達夫每隔三兩日例必到附近市鎮聆聽李小姐在爪哇巴城廣播，故達夫詩內有「卻喜長空播玉音」之句。

為展示達夫舊詩功力之深厚，特別錄〈離亂雜詩〉第二首及第六首給讀者細讀欣賞：

望斷天南尺素書，巴城消息近何如？
亂離魚雁雙藏影，道阻河梁再卜居。
鎮日臨流懷祖逖，中宵舞劍學專諸。
終期舸載夷光去，鬢影煙波共一廬。

卻喜長空播玉音，靈犀一點此傳心。
鳳凰浪迹成凡鳥，精衛臨淵是怨禽。
滿地月明思故國，窮途裘敝感黃金，
茫茫大難愁來日，剩把微情付苦吟。

浪漫詩人在上述詩中似乎有一個幻想，就是在星加坡淪陷後與李小姐解職隱居，隱姓埋名，渡過戰禍大難，所以有「魚雁雙藏」，「鬢影煙波」之句。可惜事與願違，李小瑛和平後隨英國當局回星加坡，另與別人結婚，時達夫亦已在蘇門答臘殉國。達夫在逃亡時的確有隱姓埋名，但再婚對象並非李小瑛，而是文化平較低的何麗有。

郁達夫好書・好讀書・好買書

郁達夫最後遺囑提到其杭州舊宅有藏書三萬卷。達夫一生好書好讀書及好買書。早年達夫在杭州讀中學時已經把節省餘錢用在買舊書上，每逢星期日必往豐樂橋、梅花碑等舊書館聚集地方徘徊，使他大量接觸中國古典文學如《石頭記》、《西廂記》、《牡丹亭》、《花月痕》等，又閱讀不少幫助寫詩詞的舊書如《留青新集》、《西湖佳話》等，他說：「讀了這些書之後那一種朦朧的回味，彷佛是當三春天氣，喝醉了幾十年陳年的醇酒。」達夫以讀好書比喻飲醇酒，使人心醉與神往。

郁達夫在文學的成就，他的好朋友劉海粟認為詩詞第一、散文第二、小說第三、評論文章第四，全是得力於好讀書和讀好書。他每晚讀畢一、二本小說是常有的事情，他閱讀的速度和理解能力，在同時代人實屬罕見。他曾親口告訴劉海粟：「我在日本看過將近千冊英文、德文、日文小說。」

郁達夫一生最大的嗜好是買書。讀者閱讀他的《日記九種》及其他日記，很多時會發現記載買書細節或上舊書館看書。有一回更記錄：「喝不醉酒，便跑上舊書館去買書。」達夫就是以酒當書，以書為酒。買書成為他生活一部份；上海城隍廟的小鋪子，北京路上的舊貨攤，虹口外國人開的舊書店，都是他常光顧的地方。在一九三〇年代，達夫在上海每隔兩三天便會去內山書店逛，達夫買的書種非常廣濶，以外國小說為大宗，包括美國、丹麥、俄國、日本、德國、英國等小說，此外雜誌及舊書更是他的搜羅對象。該店近虹口北四川路電車終點站，由日本人內山完造夫婦開設，是當年進步作家常去的地方。店主人頗有書卷味，彬彬有禮，常備有茶、煙和點心招待客人。達夫每次到訪總愛找剛寄來到中國的外國新書和雜誌，肯定會挑選一大批，經濟拮据時又可分期付還書款，待取得版稅後，便立即清還欠債。

達夫買書之痴，王映霞間中亦有微言，甚至有反感。一九三八年郁王情感已趨惡劣，同年十月二十五日夜映霞有一長信從湖南漢壽寄往福建福州達夫處，其中一段謂：

……，在這十二年中，你假如能夠節省一些買書買煙酒的錢，怕我們一家在安全地方要有一兩年好生活了，從前總是苦口婆心的勸告，無奈你習慣已養成，朽木難雕，終於改不轉來……。

郁達夫藏書

除了流亡的日子，郁達夫由少年到晚年都擁有無限制的買書慾，無怪乎他最後遺囑還念念不忘藏書，謂：「國內財產，有杭州官場弄住宅一所，藏書三萬卷，經此大亂，殊不知其存否……。」

達夫一生有兩批重要藏書，第一批包括他二十年代從日本帶回國的書籍，最初是擺放在北平其長兄曼陀家，後來一九三六年杭州「風雨茅廬」落成，由曼陀夫人替達夫裝上多個大木箱運回杭州書房，繼後達夫陸續增添書籍。到達夫後來一家匆匆離杭州時，藏書仍留原處，下落不明。一九四九年解放後，達夫二兄養吾透露在一九三七年冬，杭州陷敵前夕，全市呈無政府狀態，突然有兩輛運貨車開到達夫家門外，將「風雨茅廬」書房全部近萬冊洋裝及綫裝書運走。有人目睹當年在日本領事館當華人翻譯者在場指揮搬運，如此事屬實，則此批書籍有幸仍在人間。不過根據王映霞述說，此批藏書已在戰亂時遭人一車一車的拖出家門販賣，其中還包括一九三六年十一月達夫往東京講演時花掉約六百元買的一批好書。

一九三八年十二月二十八日，達夫、映霞和兒子郁飛抵達星加坡，暫時住在南天酒樓旅館。第二天，有某女記者訪問達夫時，已經見他托了一大包書籍回旅館，正為價廉物美而笑逐顏開。在星加坡三年多，達夫收入不錯，繼續大量搜集讀物，堆積起滿房書籍。到一九四二年二月初星加坡烽煙四起，達夫倉皇出走時一冊也沒有帶走，根據郁達夫好朋友胡愈之謂，達夫這批藏書並沒有毀於戰火，而是在他逃離危城前已忍痛分批送給朋友，若然屬實，達夫第二批藏書亦有可能散存人間。

達夫一生感情生活充滿浪漫與迷離，就是其藏書的散聚亦引起愛書者無限緬懷與迷思。

《多倫多文藝季》

第四期（一九九八年十月）

第五期（一九九九年一月）

第六期（一九九九年四月）

郁達夫一九四〇年寫的一副對聯

中國新文學名作家郁達夫（1896-1945）一生充滿傳奇。蓋棺定論，他是一名不羈浪子，卻有時表現無限柔情；是一名無情漢，卻有時非常專一；時而冷若冰霜，時而熱情奔放；一生追求浪漫，情格矛盾，從他與第二任妻子王映霞十二年波濤起伏的婚姻生活表露無遺。十多年前，映霞曾多次向我反映一生遺憾莫如達夫的喜怒無常性格。根據映霞，她最不喜歡看到達夫忽然眉頭一皺，頭略略一搖，從經驗告訴她，這是達夫要發脾氣的先兆，他脾氣一發起來，往往不告而走。在抗戰時期日本飛機天天來轟炸的日子，真教映霞心驚膽戰擔憂他的安危。郁達夫名作《日記九種》（1927年出版）與香港《大風旬刊》發表的《毀家詩記》（1938年出版）是達夫愛與恨的極端表現。《日記九種》，促成郁王結合；《大風旬刊》的《毀家詩記》刮走了二人最後一情結。無怪乎一九三八年，達夫在福建工作時走訪弘一法師（李叔同），弘一法師臨別時除贈以佛學著述數種外，並鄭重對達夫説：「你與佛無緣，還是做你願做的事吧！」

我羨慕學者以郁達夫手迹去研究他的性格，我更羨慕達夫研究者以佛洛依德「心解」分析他的「心結」，剖視他兒時的不幸經歷，如母親奶水不足，父親早逝等負面影響他的性格，包括焦慮、抑鬱、妄想、妒忌、對女性又愛又恨、狂飲酒、狂購書等。另一方面又有學者以為純用心理分析學去理解一個文學家及其作品，很容易產生太主觀色彩。我比較傾向重視達夫的才華及率直，期望多介紹他在近代中國文學的影響及欣賞他的優秀作品。

最近發現的一副對聯

一九八五年，中國學者在郁達夫故鄉浙江富陽召開「紀念著名作家郁達夫烈士殉難四十週年學術討論會」，同時展出的達夫手迹引起中外參觀者濃厚興趣。一九九六年，由浙江文藝出版社印製綫裝書《郁達士手迹》，被列為「郁達夫誕辰一百週年紀合」的重點紀念項目。在達夫生活於星加坡的三年多期間（1938-1942），《郁達夫手迹》印製記錄一副「贈徐君濂唐人集句對聯」（1941年），可見達夫在星加坡書寫的對聯，現仍傳世的肯定非常罕有。

筆者數月前在友人何先生府上發現達夫書於星加坡一副對聯，內容如下：

鴻鈞先生正

春夢有時來枕畔

夕陽依舊上簾鉤

庚辰秋

郁達夫（篆文郁達夫印）

上款鴻鈞，姓何，廣東順德人。下款庚辰秋是一九四〇年秋天，距今八十餘年。此聯經歷星加坡淪陷期（1942-1945），幸未遭火劫；戰後五十年又輾轉由星加坡隨移民到達多倫多。對聯完整如新，書法毫無漫漶，非常難能可貴。《郁達夫文集第十卷（詩詞）》（三聯書店、花城出版社 1984 年出版）亦沒有收錄此對聯。

對聯的分析及欣賞

上述對聯上款何鴻鈞（約四十年前逝世），為二次世界大戰前後星加坡殷商，專營木材與傢俬生意。何先生戰前是愛國商人，仗義疏財，有捐獻給祖國，根據何先生在多倫多的兒媳透露，何先生有一名職員黃葆芳，好詩書畫、勤奮好學，頗得何先生重用，經常與何先生一家同檯吃飯。黃葆芳與郁達夫為詩友，時有唱和，二人都熱心贊助南來的文化界人士解決切身問題。黃葆芳珍藏南洋花果草木冊頁，達夫於一九四〇年初曾作舊詩〈詠星洲草木〉，題於該冊頁上；另外黃葆芳、劉海粟、徐君濂合作《歲寒三友圖》，達夫於一九四一年曾題舊詩於該合作畫上，可見二人交情之深。大概達夫是由黃葆芳介紹與何鴻鈞認識，後來一九四〇年秋，達夫書此聯贈何先生作紀念。

現試分析及欣賞此對聯：

春夢有時來枕畔，
夕陽依舊上簾鈎。

對聯書於一九四〇年秋，當時達夫到星加坡已有一年零十個月。對達夫來說，一九四〇年是他婚姻破裂一年。該年五月，與王映霞協議離婚，了斷多年恩怨。同年八月，王映霞隻身離星加坡回國，先到重慶，並在外交部工作，時映霞三十二歲，達夫四十五歲。表面上達夫沒有受婚變很大影響；該年由五月至十月，達夫的寫作相當豐富，經常在《星洲日報》發表嚴肅政論、論文、散文、雜文、歌詞及舊詩等多篇；但熟識達夫者，當然會明白映霞的離去對達夫內心世界有難以彌補的失落。

上述對聯為七言行書，文字淺白易懂，並無深奧典故，內容有情有景。上聯所謂「春夢」，雖然是了無痕，畢竟仍是有跡可尋，雖未「常來」，卻有時來枕畔。下聯所謂「夕陽」，雖然是近黃昏，但每日仍舊依時點染簾幕，產生「無限好」的影像。全聯充滿浪漫氣氛，亦無自怨自艾，在隨遇而安的心境下，一片嚮往過去和憧憬未來，並注入新希望。全聯表露達夫一貫浪漫瀟灑情懷，讀後使人神往。

郁達夫書法的欣賞

初看郁達夫的書法，不容易產生好感，主要是他字形瘦削而向左略傾斜，首先請讀者重複多次欣賞附於本文的達夫墨寶，大家會體會雖然不是書家的字，卻是詩人的字，行氣頗佳，字字都站立得住，瘦硬字體帶出精神與風姿，非常耐看。

筆者亦察覺達夫擁有深厚運用毛筆功力，用筆熟落自然，無過重過輕，每字結構自然，有生趣神韻，大有「拙」的味道，而絕無過甜味。此外達夫獨有的個人瀟灑風格從字裏行間撲人眉宇，如非深於了解達夫性格很難摸到其蘊蓄心意。我希望讀者經過筆者簡略介紹，能更體會達夫書法意境，儒雅率真之氣和純樸的神采。在多倫多有幸在雪夜欣賞達夫墨寶，恍如見到他獨自瀟灑漫步在春風沉醉的晨昏。

《多倫多文藝季》第十期（二〇〇〇年四月）

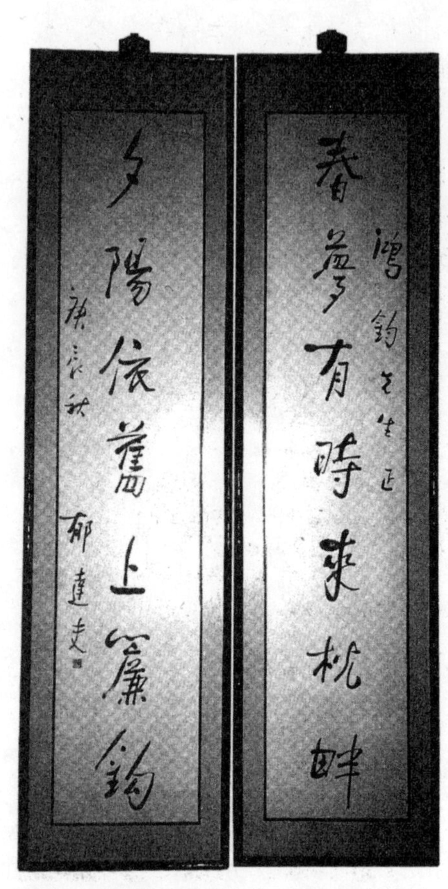

郁達夫七言行書聯 155 x 36 公分，庚辰（1940 年）

記郁達夫前妻王映霞女士最後的日子

如果沒有前一個他（郁達夫），也許沒有人知道我的名字，沒有人會對我的生活感興趣；如果沒有後一個他（鍾賢道），我的後半生也許仍飄泊不定。歷史長河的流逝，淌平了我心頭的愛和恨，淌下的只是深深的懷念。

——摘自《王映霞自傳》

前言

二十世紀中國文壇的歷史人物及見證人——王映霞女士——於二〇〇〇年二月六日（年初二）凌晨零時，走完她九十二年的生命歷程。筆者自從在《多倫多文藝季》十四期（二〇〇一年四月）拙作〈懷念故人——記郁達夫王映霞初會尚賢坊〉略述以上消息，不少讀者查詢有關王映霞去世前情況，可見頗多人仍然愛護王映霞。

七十多年前，這位美麗而寧靜的少女，最大的志願是當一名老師；不料嫁了已婚的名作家郁達夫，沒有任職教員，卻認識了魯迅，郭沫若等許多知名作家。達夫映霞結婚十二年及其婚變傳開，使映霞成為觸目新聞人物。一九四〇年，郁王在星加坡協議離婚，其後映霞在重慶與鍾賢道結婚，過了近十年的平靜家庭生活。五十年代經考試合格，映霞任職中學教員，實現其少女時代的理想；可惜鍾賢道於一九八〇年因病去世。八十年代開始，很多文化大革命浩劫後的作家獲平反恢復名譽，引起一股五四作家懷舊熱。當人們紀念郁達夫時候，自然沒有放過與達夫共同生活近十二年的王映霞，很多人抱着不同心情來探訪她。

十多年來，王映霞把所知道的文壇舊事，包括追憶郁達夫的往事，並糾正一些人的誤傳誤記；此外，她也談到魯迅、郭沫若、胡建中、陸小曼、白薇等重要作家。

王映霞病中情況

自從鍾賢道去世後，王映霞一直獨自生活在上海復興中路六〇八段一號。一九九五年五月，映霞不幸在路上跌倒，股骨脛骨折，從此與在杭州的女兒鍾嘉利一家生活，身體情況日走下坡。根據鍾嘉利今給我的資料，從一九九五年十一月至一九九七年十月，映霞有時住在兒子鍾嘉陵在深圳的家，有時住在杭州。一九九八年整年映霞身體狀況日差，思維與言語開始呈現障礙，經常會控制不住自己情緒而吵鬧。九月下旬病情險惡，心、肺、呼吸機能都出現大問題，幸搶救及時而轉危為安，但病況仍常有反覆，兒子鍾嘉陵及郁荀都來過杭州探望，但因工作關係只能停留兩三天；移居紐約的大兒子郁飛（一九三八至一九四〇年與郁達夫王映霞在星加坡一同生活），有長途電話問候，映霞清醒時會説：「生那麼多兒子有什麼用？」

王映霞臨終前後

一九九九年三月，王映霞出現腦昏迷狀況，曾多次進出浙江省建工醫院；八月病情更形險惡，病人已沒有進食意識，開始不能說話，醫生每天給她輸營養液，體重日減，瘦得只剩皮包骨，不會翻身，甚至無氣力抬手。到二年二月六日（年初二）凌晨零時停止了呼吸。鍾嘉陵、鍾嘉利兄妹將映霞遺體送到杭州殯儀館，遵照她生前「一切從簡，不搞任何形式」的囑咐處理後事後，將骨灰暫時寄存在杭州殯儀館，待清明節後安葬在杭州玉皇山麓南山公墓一個與鍾賢道合葬的雙穴。根據鍾嘉利，她父親是唯一真正愛護她媽的人，到那個世界裏，她把媽媽交給父親才會覺得很放心。

我不敢說很熟識王映霞，但從八〇到九十年代，我曾數次在上海與她見面，又多次書信來往，深知她是一名個性極強的老太太，不管對人對事，一生不肯敷衍，從郁達夫王映霞一九三九年至一九四〇年在香港《大風旬刊》的筆戰及後來映霞毅然與達夫分手，更可見她執着的一面。筆者一九八七年初次拜訪她時，深深給她的風範吸引着，那一頭銀髮，象牙色的皮膚，大方的熱誠無偽的款待，一口帶有濃厚杭州音的低沉普通話，那一種得體的淺笑，依稀散發出當年的風姿。當談到郁達夫生平的時候，她又掩不住那永遠糾纏不清的愛和恨、隱痛和驕傲；當她說到達夫對她的種種誤會，她仍表露明顯的不憤，又恐怕我不明白她的意思，不禁刻意親手寫上「許紹棣」三個字在我的記事簿上，這一動作已勝過千言萬語。臨別時她頻說「再見！珍重。」那笑容非常生動。她的確走了，是平凡的一生，亦是不平凡的一生，但留在的是她永遠寧靜、真誠和美麗的淺笑。

《多倫多文藝季》
第十六期（二〇〇一年十月）

浙江富陽雙忠——郁華郁達夫兄弟殉國記

郁華（1884-1939）郁達夫（1896-1945）兄弟，浙江富陽人。富陽縣位於富春江北岸，離杭州約九十里，山明水秀，人傑地靈。現在富陽鸛山附近建有一亭子，名「雙忠亭」，亭內立一塊碑石，刻上郁氏兄弟事迹。雙忠亭附近以前有郁華血衣塚，在六十年代文化大革命期間遭毀滅。

郁華殉國記

郁華比達夫大十二歲。達夫三歲喪父，由郁華負起長兄為父之責。郁華名氣雖為其弟文采所蓋，但若沒有郁華提携照顧，就沒有揚名文壇的郁達夫。郁華幼年時以官費入讀杭州府學堂，後來考取官費留學日本，畢業早稻田大學後入讀法政大學。一九一〇年回國從事司法工作。一九一三年獲派赴日本考察司法，當年達夫十七歲，亦跟隨其兄到日本攻讀。郁華於一九一四年回國，先後在司法界任庭長和刑法教授，工餘寫詩作畫，曾加入「南社」，與柳亞子頗友善。達夫的舊文學根底，深受其兄影響。達夫在日本時曾因不服管教而與郁華反目，甚至寫信絕交。回國後，兄弟情誼還是親密的。郁華雖然不贊成達夫年青時期的思想行徑，但頗誇獎其文思才華。一九三九年郁華遇難前曾有詩寄贈達夫，詩云：

莫從海外歎離群，奇字時還問子雲，

幾輩名流無抗手，一家年少最憐君。
懶眠每凭烏皮几，好句爭題白練裙，
奪得諸兄新壁壘，騷壇此席要平分。

在抗日上海孤島時期，郁華任職江蘇高等法院第二分院刑庭長，以廉明正直有聲於時。日偽特務機關恨之入骨，亟欲去之而後快，曾多次危言威脅。有親朋勸他明哲保身離職，郁華慨謂：「國難方殷，豈可求去，我但行其所安而已。死生何足論哉。」一九三九年十一月二十三日，卒為汪逆奸人鎗擊身亡。郁華一生忠於家國，澹薄明志，為我國典型忠義知識分子。他的長女郁風（為名畫家，其夫為名書法家黃苗子）適在香港，聞父死訊即回上海奔喪。一九四〇年三月，上海各界為郁華烈士舉行追悼會，達夫在星加坡撰寫哀悼文字，並寄手書情文並茂之沉痛輓聯，聯云：

天壤薄王郎，節見窮時，各有清名聞海內；
乾坤扶正氣，神傷雨夜，好憑血債索遼東。

郁華長女郁風畢業國立北平大學藝術學校，曾任第四戰區司令長官政治部少校組員，兼廣東新生活婦女指導委員。寒齋藏有郁華遺著《靜遠堂詩》精裝本及《東方畫刊》合訂本，後者第一卷十二期（一九三九年三月出版）刊載郁風的戎裝照片，果然英姿勃發。一九九四年，我在香港有機緣第二次與黃苗子風夫婦會晤，我出示上述兩刊物，郁風看後頗為感動，隨即在其父親遺作扉頁題記留念，並在《東方畫刊》內其五十五年前戎裝照片旁題字云：「真沒想這妞是我！」

不祥的命相

郁達夫王映霞夫婦在杭州的「風雨茅廬」，在一九三六年年初建成。翌年春，達夫從福州回杭州，某一天通過好朋友孫百剛的介紹，請一精通相學者朱似愚相命。朱先生問罷達夫八字，端詳其面容數分鐘而後說：「郁先生今年四十歲，正行甲子運，以前一直不錯，不過始終都是鏡花水月，虛而不實，以後三五年內，波折一定不少，假使你自己生場大病，或者家人有點病痛，那算是幸運。今後數年中，凡事小心在意，能不出門最好勿遠行，要忍耐受氣，切勿發火暴燥。」達夫夫婦聽罷頗為掃興，原本映霞欲問前程亦不敢開口。那位朱似愚後來對孫百剛說：「郁先生的命相剛到目下為止，以後或會弄得家破人亡，倘若自己性命能夠逃出，那是祖宗德蔭。」達夫以後的命運，不到十年工夫，全部實現朱似愚的命相，確是奇聞。以上達夫映霞在杭州相命一事，出自他們數十年好友孫百剛述說，應屬實事。

郁達夫殉國記

一九三八年底，郁達夫王映霞夫婦同赴星加坡，時兩人情感已有頗深裂痕。香港陸丹林主編的《大風旬刊》（一九三九年三月）刊載郁達夫《毀家詩記》，使映霞非常難堪，促成二人在一九四〇年三月協議離婚，映霞不久離星加坡回國。由一九三八年底至一九四二年初，達夫任《星洲日報》副刊「晨星」和「繁星」編輯，並積極參加領導星加坡文化界抗日工作。

一九四二年二月十五日，星加坡淪陷。達夫和一批文化界人士早於二月四日乘一破舊小電船逃離星加坡，目的地是爪哇，希望從爪哇乘船渡印度洋回國。可惜不久爪哇陷落，達夫被迫滯留蘇門答臘，曾先後落腳卜干峇魯及巴爺公務二地。由於達夫精通日文，在爺公務西三十多里武吉丁宜日軍憲兵部當通譯，在工作上暗中營救了不少華僑和當地印尼人，當時達夫以化名趙廉為掩護。為着消除日本人疑心，達夫經友人介紹，於一九四三年九月十五日在巴東與原籍廣東台山何麗有結婚，這是達夫第三次結婚；結婚證書仍用化名趙廉，原籍福建。何麗有從未接受正式教育，能講廣東話和印尼語。達夫似乎相當重視新婚，結婚當日以「無題」寫就四首律詩，原稿一直藏在友人張紫薇處。達夫又在當地開辦一酒廠，名「趙豫記」。一九四四年七月，何麗有生下一名男嬰，取名「大亞」，後改「大雅」。

一九四五年八月，日本無條件投降的消息，要等到八月二十二日才在巴耶公務報紙傳出。有關達夫遭日本憲兵殺害的日期及經過，眾說紛紜。這些年來，海外報刊亦記載不少達夫在南洋事跡，甚至多次傳出達夫戰後仍在蘇門答臘隱名埋姓過活。我個人甚表懷疑此說，以達夫的率直性格，如果他戰後仍活着，他一定會現身。比較可信的見證者有以下說法：在一九四五年八月二十九日晚上八時半左右，達夫在家中與三位華僑商討有關農場問題時，忽然有一年約三十歲操馬來亞語的印尼人請他外出商討一些事情。達夫數分鐘後轉回家向三位華僑匆匆說：「我要再次外出，稍後即回，請你們坐候一下。」當時達夫仍穿着睡衣和木屐，便再隨該男子走了。經過多方面調查，那天晚上達夫離家後與該男子進入附近一間咖啡店坐談，其間似乎有多少爭執。其後二人一同走向一條僻靜小路，那裏早已停了一輛小汽車，內有兩個日本人守候，達夫二人上車後，汽車便開走。從此再沒有人再見達夫。數小時後，他的第三位妻子何麗有在八月三十日生下一女嬰，取名「美蘭」，何麗有亦不知「趙廉」就是大名鼎鼎的郁達夫。

郁達夫戰後為日本憲兵殺害一事應是事實，遇害日期則無法確定。根據蘇門答臘聯軍總部情報處的消息，達夫是在九月十七日遭槍殺，同時被害者有多名西人，遺骸在離武吉丁宜七公里的丹武革岱。此消息亦未完全證實。一九八七年，王映霞在上海曾親口告訴我，達夫是在失蹤當夜（一九四五年八月二十九日）即遭一日本憲兵用右臂勒斃，而行兇者戰後仍居日本某地。映霞亦提到該名兇手姓名，可惜我已忘記。至於何以日本憲兵在投降後仍要取達夫性命，傳說很多。有謂日本人早已偵查得悉「趙廉」就是郁達夫，原因是達夫操一口高級知識分子說的日本話，引起日人懷疑而跟進追查。有謂達夫嗜酒，一夕酒後吐真言，泄露自己身份。日本憲兵因達夫任傳譯時，知道日本憲兵部秘密太多，恐其日後傳出不利，因而將他滅口。無論如何，達夫是在日本投降後不久遇難是鐵一般事實。

後語

達夫長兄郁華於一九三九年殉國。其實早於一九三七年冬，當富陽陷敵時，達夫七十餘歲高齡的母親陸氏，因不肯離開家園逃難而遭日兵虐殺。達夫給友人信中曾說：「此次抗戰，實以弟之犧牲為最大也。」他怎會料到，在抗日戰爭宣告結束後不久，他自己亦遭日敵殺害。堪以告慰的就是達夫畢生在文學的輝煌成就，以及他一家三口為國壯烈犧牲精神，都會光垂後代。從另一角度看，假若達夫真的能逃脫毒手於戰後返國從事寫作，而解放後又一直留在國內，在六十年代他當約七十歲，以他率直坦言性格，自我暴露的著作內容及其家庭歷史背景，將會很難擺脱「反動學術權威」的帽子，我更懷疑他能否順利通過文化大革命的猛烈震盪衝擊。與其可能遭受慘烈批鬥，在蘇門答臘壯烈犧牲不失為較佳的落幕。

《多倫多文藝季》
第二期（一九九八年四月）
第三期（一九九八年七月）

懷德先生：

大函拜读，知你已安抵香港。

我的字实在太差了，真可谓"涂鸦"，请勿见笑。

你我是十月二日在上海见面的，这一天是你的生日，你告诉我。

今后，请有暇随时赐教，告知些港澳间的消息。不胜谢之。

"上海风情"的文章，不知为什么被转载到大成杂志，这大约也是书商的手段，我们是无能为力的。承告知，谢之。

就写到此，祝

双安！

请代向尊夫人问好

王映霞 10.18.

王映霞當年與筆者的通信

漫談郁達夫與徐志摩

郁達夫與徐志摩

上天似乎十分厚愛我國浙江省，多位近代文學家都是浙江人，包括魯迅（1881-1936），周樹人（1885-1966），朱自清（1898-1948），豐子愷（1898-1975）等。此外，近代詩壇同一時期出現兩位才氣橫溢的詩人——郁達夫（1896-1945）與徐志摩（1897-1931），他們的故鄉分別是浙江富陽和海寧，都是山明水秀和人傑地靈的魚米之鄉。達夫比志摩出世早五個星期。原來兩人在青少年時代同讀聞名全省的杭州府中學，為同班同學，並且同住在大方伯圖書館對面的學生宿舍；當時大約是清宣統年間，他們還梳着長辮。志摩在杭州府中學五年，年年考第一，年年當班長；他是武俠小說大師金庸的表兄，志摩逝世時，金庸才七歲。

達夫與志摩性格頗不同。達夫生性孤傲而寡言；志摩比較活潑外向，達夫回憶志摩時還記得他是一個「頭大尾巴小，戴着近視金絲眼鏡的頑皮小孩」，尾巴就是指那小辮子。志摩老師梁啟超最了解他的活潑性格，曾贈志摩一副宋詞集聯：

臨流可奈清癯，第四橋邊呼掉過環碧，

此意平生飛動，海棠花下吹笛到天明。

梁啟超精研宋詞，是當代宋詞集聯第一高手，他自己亦甚滿意上述集聯，聯意刻劃出志摩輕快磊落的性格，而且還隱記一九二四年志摩陪同印度詩哲泰戈爾暢遊西湖，又在北平法源寺通宵達旦寫詩的美好回憶。達夫與志摩性格雖然不同，但長相、天份與人生際遇又有相似之處，我分下列四點與讀者談談。

一、外貌

從任何角度看，達夫與志摩都是貌不驚人，絕對不是英俊美男。志摩頭大，與身形不成比例，金絲眼鏡趁着他那「鞋抽」形的「下巴」，很像荷里活諧星「神經六」。達夫面相更怪，猴年出世，連面形也似猴子，身材算矮，顴骨突出，顯得清癯。頭髮是平頭裝，經常長達一寸多，頭髮粗硬，有的筆直，有的向後斜，一看便知道他是不修邊幅和落拓不羈；他的第二夫人王映霞笑說他似街邊檔的剃頭人，多過似文學家。

二、浪漫

二人都是浪漫主義者，輕視兼厭惡買辦式的婚姻。達夫儘管對原配曹氏非常尊重，且曾生下四名子女，但當遇到美艷如花的才女王映霞後，便不惜與曹氏分居，拼命追求映霞。同樣志摩原配為張幼儀，知書識禮，且好文學，結婚七年，生下兩個兒子。後來志摩在歐洲遇見才女林徽因便移情別戀，與原配在柏林離婚，繼後從歐洲追林徽因到北平。後來志摩在社交場合遇上風華絕代的才女陸小曼，又轉移目標瘋狂追陸小姐；他的老師梁啟超力勸無效。最後陸小曼與丈夫離婚，改嫁志摩。達夫的《日記九種》和志摩的《愛眉小札》，內容情意綿綿，文筆生動，不知道迷醉了多少青年男女。

三、橫死

二人都是壯年橫死，凶終隙末，達夫享壽四十九，志摩則只有三十五歲。達夫在二次大戰和平後不久在印尼爪哇遭日本憲兵殺害，遺骸無處尋覓，一九三一年十一月十九日，如日方中的志摩乘搭「濟南號」從南京飛北平，在距離濟南五十里的黨家莊忽遇大霧，飛機撞山着火；正如他的名作〈再別康橋〉中一段謂：

悄悄的我走了，正如我悄悄的來；
我揮一揮衣袖，不帶走一片雲彩。

上述數句，成為他的讖語。他真的走了，時年僅三十五，志摩殘骸安葬在他的美麗故鄉，墓是用厚實石塊鑲成的一只巨大石棺，由當代書法家章宗祥題墓碑：「詩人徐志摩之墓」，誰知他死後三十六年，仍然逃不過文化大革命的厄運，志摩整座墳墓遭紅衛兵惡意炸燬，夷為平地。志摩經火焚的殘骸，灰飛煙滅，與達夫一樣，無處尋覓。

四、詩人

二人都是不朽浪漫詩人，達夫功力在舊詩，善於用典，詩意含蓄，頗似清代名詩人黃仲則，即《兩當軒集》作者。志摩是「新月派」的代表詩人，是詩壇祭酒。其實志摩舊文學的底子甚厚，早於一九一八年已拜梁啟超為師，他古文的筆調也效法梁啟超。志摩二十四歲以後才開始寫詩，他的新詩大量吸收了西洋詩的格律，講究韻律和形式，音節鏗鏘，辭藻美麗，韻緻盎然，柔情萬縷，使人耳目一新，百讀不厭。

後語

郁達夫與徐志摩從青少年時代已經是同窗，一直有很深的交情，二人時有通信，志摩一九三一年不幸遇空難後，陸小曼與上海良友書店趙家璧一起籌集志摩文稿，準備編印《徐志摩全集》，趙家璧特別去信郁達夫索取志摩舊書信，達夫覆信謂他在二十年代在上海受了幾次驚，故將所有親友信札，包括很多志摩信件，全部燒燬了，非常可惜，所謂「幾次驚」，相信是發自政治「白色恐怖」。大概志摩的信，以給胡適、卲洵美、凌叔華、冰心、林徽因等為多，陸小曼當然更多，後來由小曼輯成《愛眉小札》。達夫與志摩在世日子不算長，但在中華大地撒下生生不息的文學種子，留下豐富的文學遺產，影響深遠。

《多倫多文藝季》
第七期（一九九九年七月）

寫給日本女郎——郁達夫徐志摩兩首詩的賞析

郁達夫的詩

郁達夫與徐志摩在中學時是同學，同一根源，長大後兩人馳騁舊新詩壇，各領風騷，有極大成就和影響。在五四眾作家中，以達夫最善寫舊詩，亦可稱「古典詩」；志摩則致力新詩，亦可稱「現代詩」。由於性格不同，二人所結交的詩友亦異，達夫好友如魯迅、田漢、老舍即以寫舊詩馳名；至於志摩好友如胡適、冰心、印度詩人泰戈爾都是寫新詩能手。

郁達夫早期小說《沉淪》及日記《日記九種》，無可否認是帶着濃厚自我暴露成份，但他舊詩頗為含蓄，用典妥切自然。從氣質上來講，他是個傑出的抒情詩人；在唐詩中他酷愛白居易和劉禹錫，他的詩得力於清代詩人黃仲則（1749-1783）和龔自珍（1792-1841），尤以前者給他極大啟發。黃仲則，江蘇武進人，乾隆時代大詩人，一生懷才不遇，寄情於詩作，極有成就，謝世時只有三十四歲；著作有《兩當軒集》（上海古籍出版社，1983 年版；山東黃山書社，1998 年版；台灣有私人出版綫裝本）。達夫亦常自嘆生不逢時，加上家庭種種不幸遭遇，生平非常仰慕黃仲則詩才，連自己的作品也有幾分相似，所以達夫祖母常笑說他的詩有黃仲則影子。讀者從下列兩位詩人名句，可見一斑。

黃仲則：

「全家都在秋風裏，九月衣裳未剪裁。」
「似是星辰非昨夜，為誰風露立中宵。」
「獨立市橋人不識，一星如月看多時。」

郁達夫：
「細雨小橋人獨立，三更燈影透林微。」（1916年作於日本）
「泥落可憐雙燕子，低飛猶傍莫愁家。」（1917年作於日本）
「簫聲遠渡江淮去，吹到揚州廿四橋。」（1928年作於揚州）

郁達夫作詩時是全情投入。一九七七年，達夫生前好友黃葆芳從星加坡回國觀光，見到他們的舊友名畫家劉海粟時，黃葆芳還暢談三人舊遊趣事，並憶述達夫在星加坡吟詩時的神態：「郁先生捧着茶杯在屋裏徘徊，有時低頭斂眉，猛抽着香煙，凝神聚思，然後將想好的詩句寫下。」達夫的詩實在比小說和散文還好，現在讓我們欣賞他的一首佳作。

賞析一：

西京客舍贈玉兒

一九二〇年四月日本

玉兒春病胭脂淡，
瘦損春風一夜花；
鐘定月沉人不語，
兩行清淚落琵琶。

背景

郁達夫這首詩是臨別贈送京都旅舍一名侍女玉兒。玉兒身世不可考，大概是達夫留學日本時相熟的一名旅舍侍女，關係非淺。試看此詩的時代背景，詩是寫於一九二〇年四月，距離五四運動爆發以後不足一年，全中國在這個時期掀起一場「反對舊道德，提倡新道德；反對舊文學，提倡新文學」的文化革命運動。達夫雖身在日本，但深受這一運動影響，加上在日本親身體驗作為弱國國民到處遭受歧視和凌辱的痛苦，愛國主義思想十分強烈，決心要組織一個新文學團體和創辦一種新的文學雜誌，用以喚起民眾拯救祖國。一九二〇年春，達夫與東京帝國大學留日同學張資平、成仿吾等在宿舍籌組新文學團體，這可算是組織創造社最早的一次會議。在私人感情方面而，早於一九一七年八月，達夫母親陸氏已為達夫與同鄉孫孝貞之女孫荃（1897-1978）訂下親事，達夫對此包辦訂婚極感不滿；同年九月，達夫訂婚後匆匆回日本攻讀。一九二〇年四月前，達夫母親與孫荃家一再催達夫回國完婚。達夫心境非常矛盾，既有以文學改革國家的鴻圖大志，又有多次催婚回國的煩惱，達夫就在這種苦悶心情下寫成這首離別詩。

賞析

絕詩是以律詩為基礎演變而來，分五言或七言，全首四句。「西京客舍贈玉兒」，是七言絕詩，屬仄起式，首句不入韻，第二句和第四句入韻。讀者欣賞這首詩前，請先慢讀至少三次。第一句作者首先開門見山點出女主角玉兒的帶愁姿態，淡素娥眉。第二句點出季節，並以花殘寄寓玉兒面兒，因為離別在即，淡粧無法掩蓋惆悵。頭兩句中「春病」與「瘦損」直接形容離別之苦。第三句點出「鐘」、「月」和「人」，代表物景和人融為一起；「月沉」指時間已到下半夜，在默默不語中，時間、琵琶聲、月色與人似乎已凝聚，成為無聲之聲，刻意突出離情。所謂「人不語」，作者並無交待是玉兒不語，還是達夫不語，但讀者已明瞭是默默無語。第四句直接描寫玉兒落淚，抽象的來説，淚落琵琶與琵琶語混為一體。整首詩中，情、物、景與人交融，可謂傷而不濫，有味外之味與音外之音，使人百讀咀嚼不厭。全詩並無一字觸及男主角，但讀者完全意會其存在，的確是達夫代表佳作之一。假若國畫大師林風眠（1900-1991）能用工筆設色水墨或者輕彩油畫將玉兒神情及靜寂背景表現出來，再襯上畫家在畫面留白處用楷書寫上整首詩，肯定是林風眠又一幅傳世佳作。

墨寶

郁達夫頗喜愛及重視〈西京客舍贈玉兒〉一詩。據我初步研究，他至少有兩次先後以宣紙賦寫出詩。

第一次是作詩後十七年，即一九三七年春，達夫在福建書寫一條幅贈書畫大藏家吳在橋，其時達夫與第二夫人王映霞感情轉壞，心境相當差的時候。第二次是作詩後二十一年，即一九四一年初夏，達夫書寫另一條幅記此詩，並加跋云：「此二十年前遊旅西京時所作，回憶前塵，誠如一夢。」其時與王映霞離婚後不足一年，可見達夫在情感受沖擊時便追憶寫此詩時的景況。上述達夫一九三七年在福建所書寫的行書條幅，我有幸珍藏，完好無損，特意附原件照片供大家欣賞。達夫書法多用側鋒。字體略為傾斜，初看似乏力，但多看便察覺其勁力，實在是棉裏藏針，頗有達夫個人面貌及風格。

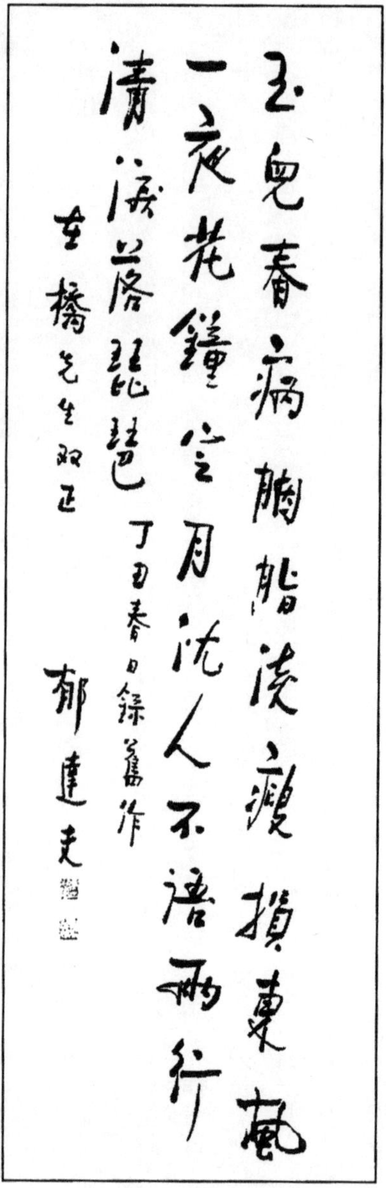

郁達夫行書條幅 129 x 32 公分，丁丑年（1937 年）

徐志摩的詩

郁達夫、徐志摩與同庚（光緒丙申，一八九六年）的國畫大師劉海粟有深厚友誼。劉海粟晚年時仍有親切的回憶，還記得一九四一年某夜與達夫躺臥在星加坡期頤園草地上，那夜碧天如水，繁星點點，忽然一顆流星拖着火光刺眼的尾巴，在遠樹後殞落，達夫感慨說：「海粟兄！那不是徐志摩嗎？多麼有才華的詩人，英年早逝，千古同悲！」當時距離志摩逝世剛好十年。

徐志摩在國內曾就讀三間大學：上海的滬江、天津的北洋、北京的北大。在國外也讀過三間大學：美國的克拉克、哥倫比亞和英國的劍橋。他一生三十六年壽命，有二十二年做學生，歸國後曾先後在上海光華大學、南京中央大學、北京的北京大學、清華大學和大夏大學任教。志摩二十六歲在英國劍橋大學時開始寫新詩，是一位詩人氣質極濃厚的文人，有崇高理想，而同時極力爭取這理想的實現。詩仙李白要捉天上明月，志摩要飛離俗世遨遊太虛摘取星星；他的名作〈想飛〉，對此浪漫詩意發揮淋漓盡致。

一九二六年四月一日，徐志摩與聞一多、朱湘等主辦《北京晨報．詩鐫》，他們主張新詩要「創格」，並要有「新格式和新音節」。志摩新詩具有音樂美、繪畫美和建築美。音樂美指音節，繪畫美指詞藻，建築美指章句；大家熟識的〈再別康橋〉，都具備這些特色，使無論是否到過英國劍橋的讀者，都被這詩的佳句如「……滿載一船星輝，在星輝斑爛裏放歌。」「……夏蟲也為我沉默，沉默是今晚的康橋！」懾神和陶醉。

除了新詩外，徐志摩的散文、遊記、日記等都有詩意，他的人生，包括讀書、遊玩、交友、戀愛、甚至他的死都充滿濃郁詩意，因此蔡元培輓志摩聯云：

談詩是詩，舉動是詩，畢生行逕都是詩，詩的意味滲透了，隨遇自有樂土；
乘船可死，驅車可死，斗室坐臥也可死，死於飛機偶然者，不必視為畏途。

現在讓我們欣賞及分析徐志摩一首佳作：

沙揚娜拉一首（贈日本女郎）

最是那一低頭的溫柔，
像一朵水蓮花不勝涼風的嬌羞，
道一聲珍重，道一聲珍重，
那一聲珍重裏有甜蜜的憂愁——
沙揚娜拉！

背景

「沙揚娜拉」是日語「再見」的音譯。《沙揚娜拉》是一組內容相聯而又獨立成章的組詩，共十八首，寫於一九二四年五月隨印度詩人泰戈爾訪問日本期間。〈沙揚娜拉一首〉是這組詩最後一首。全十八首原收在志摩自選詩集《志摩的詩》的初版本（一九二五年，中華書局出版），再版時，作者刪除了前十七首，只存這一首，可見志摩重視此詩。〈沙揚娜拉一首〉，後來亦收入《新月詩選》。

賞析

詩題的日本女郎，不知何許人，相信是志摩旅日時偶遇的一名少女。讀者欣賞這首短詩前，請先慢讀至少三次。整首詩的詞句柔美清麗，韻律諧和，明顯受西洋詩影響。另一方面又受日本俳句及印度詩人泰戈爾小詩的影響。這首詩「温柔」、「嬌羞」、「憂愁」和第一句「低頭」是押韻的，詩中第一句「低頭的温柔」，第二句「像一朵水蓮花不勝涼風的嬌羞」很有東方色彩，但第四句的「有甜蜜的憂愁」，又確有點雪萊、拜倫的神髓。

徐志摩這一小詩另一個特點是全詩不用主詞。「那一低頭的温柔」，是誰低頭？「像一朵小蓮花」，是誰低頭呢？「道一聲珍重」，是誰道呢？「沙揚娜拉」，是誰說再見？作者不用主詞，但主詞已暗中突出，即所謂「不露而露」、「無聲而有聲」的意思。如果全詩太濫用主詞「你」、「我」、「他」、「我們」等，肯定會流於「太露」的毛病。

詩中描述日本女郎對志摩道了三聲珍重：「道一聲珍重，道一聲珍重，那一聲珍重」，全無累贅意，讀後回味無窮，頗使人聯想起詞裏小令的味道。讀者可從下列一首小令明白我的意思：

調笑令　唐　韋應物

胡馬，胡馬，
遠放燕支山下。

跑沙跑雪獨嘶，
東望西望路迷。
迷路，迷路，
邊草無窮日暮。

《多倫多文藝季》
第八期（一九九九年十月）
第九期（二〇〇〇年一月）

徐志摩與陸小曼（1920 年代）

滿載一船星輝——徐志摩〈再別康橋〉的賞析

徐志摩（1896-1931）

新月派代表人物徐志摩是中國新文學史上有一定影響的詩人。大家看了電視劇《人間四月天》，都會被徐志摩與張幼儀、林徽音和陸小曼的愛情故事所感動。劇集中大提琴、小提琴和鋼琴的配樂此起彼落，特別感人。故事裏穿插大家熟識的當代作家，如梁實秋、郁達夫、劉海粟、陳西瀅、胡適、凌叔華、趙家璧、聞一多、梁啟超等，散發出迷人的文藝氣氛。

長期以來，徐志摩的評價一直是毀譽參半；很多人評論他「思想與信仰單純」、「感情輕浮」和「情感無關攔的泛濫」。最為人詬病莫如志摩拋妻棄子，薄情寡義，繼後娶了朋友的妻子；他多番強調無論在天堂或地獄都要追求靈魂伴侶，更成為眾矢之的。愛情令志摩着迷，得不到的愛情更使他痴迷。

徐志摩的詩

徐志摩的詩表現他是一個徹底的浪漫主義者。他是情才，亦是奇才，受西洋浪漫派文學家如雪萊、拜倫、濟慈等影響至深，他們都是一生追逐理想的愛而終於不可得。志摩的詩得力於深厚的古典文學根底，自幼受舊體詩詞的嚴謹訓練。我以為他的短詩比長詩更見功力，音節鏗鏘，形象逼真。讀者如重讀他的〈沙揚娜拉一首〉（1924年）、〈偶然〉（1926年）和〈山中〉（1931年），或者都會有同感。志摩很喜歡誦讀自己的作品〈我不知道風是在哪一個方向吹〉(1928年),如果讀者連番讀出以下其中兩段,亦會察覺他的詩的確下過細密工夫,甚有詩味:

> 我不知道風
> 　是在哪一個方向吹——
> 我是在夢中,
> 　他的溫存,我的迷醉。
>
> 我不知道風
> 　是在哪一個方向吹——
> 我是在夢中,
> 　甜美是夢裏的光輝。

徐志摩的〈再別康橋〉

徐志摩對英國康橋那段生活感受很深,曾經多次説康橋使其脱胎換骨;先後寫散文〈我所知道的康橋〉,新詩有〈康橋四野暮色〉(1922年)、〈康橋再會有吧〉(1922年)、〈康河晚照即景〉(1923年)及〈再別康橋〉(1928年),其中最為人樂道和欣賞的是〈再別康橋〉,寫於一九二八年十一月六日重遊英國後回國途中的中國海上。當時他已經和張幼儀離婚，林徽音同年亦已與梁思成在加拿大温哥華成婚，志摩與陸小曼結婚生活頗不愉快。志摩落寞隻身重訪劍橋，在回程時以深情追憶緬懷劍橋而寫此佳作。〈再別康橋〉最初發表於《新月》一卷十期（1928年12月），後收入志摩第三本自編詩集《猛虎集》（1931年）及《新月詩選》（上海新月書店，陳夢家編，1931年）。我起初頗奇怪何以《新文學大系一詩集》（上海良友圖書公司，朱自清編選，1935年）沒有編入〈再別康橋〉，後來發覺原來朱自清選詩以詩作於民國十七年（1928年）以前為準，而〈再別康橋〉作於一九二八年冬，因此未有收錄。

徐志摩〈再別康橋〉的賞析

輕輕的我走了，
　正如我輕輕的來；
我輕輕的招手，
　作別西天的雲彩。

那河畔的金柳，
　是夕陽中的新娘；
波光裏的艷影，
　在我的心頭蕩漾。

軟泥上的青荇，
　油油的在水底招搖；
在康河的柔波裏，
　我甘心做一條水草！

那榆蔭下的一潭，
　不是清泉，是天上虹；
揉碎在浮藻間，
沉澱着彩虹似的夢。

尋夢？撐一支長篙，
　向青草更青處漫溯；
滿載一船星輝，
　在星輝斑斕裏放歌。

但我不能放歌，
　悄悄是別離的笙簫；
夏蟲也為我沉默，
沉默是今晚的康橋！

悄悄的我走了，
　正如我悄悄的來；
我揮一揮衣袖，
　不帶走一片雲彩。

這首詩共有七段，每段四句，章法整飭。首先請讀者慢讀兩次。以下是我的一些簡單見解和分析：

一．巧用疊詞

第一段一共重複三次「輕輕」，略帶俏皮，別有神韻。第三段的「油油」，亦是一疊詞。第六段和第七段用了三次「悄悄」疊詞，起落有情調，有無比瀟灑氣質。

二．句法重複

第五段「向青草」「更青處」是重複。「滿載一船星輝，在星輝斑斕裏放歌。」和第六段「夏蟲也為我沉默，沉默是今晚的康橋。」都是極富韻味的重複句法。志摩善用重複句法來加強詩意，如那首〈我不知道風是在哪一個方向吹〉(1928年)，其中詩句：「……我是在夢中，甜美是夢裏的光輝。」「……我是在夢中，黯淡是夢裏的光輝。」亦是重複句子的好例子。

三．中國風味

第三段的「青荇」，最早出現在《詩經》。第五段的「滿載一船星輝，在星輝斑斕裏放歌。」兩句，陶醉了無數讀者，頗有宋詞風味，原來其出處是南宋詞人張孝祥的〈西江月〉：「滿載一船明月，平鋪千里秋江。波神留我看斜陽，喚起鱗鱗細浪。」

另外第六段「悄悄是別離的笙簫」，笙和簫都是中國樂器，詩人滿懷離情別緒時仍聯想到笙和簫聲，可見是懷抱着中國人的情感。

四．色彩斑斕

作者除了以天上「雲彩」、「夕陽」、「星輝」襯托行將離別的康橋，又以不同色彩點染人間康橋的景色，包括「河畔的金柳」、「軟泥上的青荇」、「天上彩虹」、「青草更青處」和「星輝斑斕」，詞藻豐富和色彩繽紛。

五・生命動感

整首詩反複修飾，音調鏗鏘，和諧的節奏感和旋律感增加生命力。此外，作者輕輕的招手向西天和雲彩惜別，以河畔金柳當作夕陽中的新娘，化作波光艷影，在自己的心頭蕩漾，又擁着一船星輝放歌。再別康橋一刻，夏蟲亦為詩人沉默，沉默是今夜的康橋。作者有離情，連夏蟲和康橋一帶景物都好像有生命似的沉默起來。作者即景抒情，景中有我，景中有情，處處以主觀感情感染景物，達到景情和諧統一。

結語

徐志摩的愛情思想是否健全，他的為人是否嚴肅，那是另一個問題，因為其中曲折與隱情並非大家所熟知的。以上只是對〈再別康橋〉風格作一點膚淺零碎的體會，旨在介紹志摩詩中別有「真」意，好像一團火的深情；神仙似的詩句，了無煙火味，只有極富情感的曼妙音樂和天上人間的靜美，讀後使人神往。最後一點，〈再別康橋〉是最好例子介紹志摩詩的動人嫵媚，譬如以河畔金柳為夕陽中的新娘。十多年前我有幸偶訪劍橋，河畔的楊柳在夕陽斜照下果然呈金黃色，非常嫵媚，印象猶新，可惜未見夜景。真渴望能重訪劍橋，臥遊劍河，品嚐「滿載一船星輝」的浪漫逍遙氣氛。

《多倫多文藝季》

第十五期（二〇〇一年七月）

一片冰心在玉壺——漫談冰心

中新社一九九九年三月一日發表冰心的逝世報道：「二十世紀中國最具慈愛的一顆心臟，昨日在北京悄悄地停止了跳動。」

本文並非旨在研究冰心，只志在輕描淡寫去緬懷這位五四新文學運動最後一位元老。

中國現代文壇最著名的女作家冰心，有「文壇祖母」之譽，是二十世紀同齡人，於一九九九年二月二十八日晚病逝北京醫院，享年九十九歲，將三百三十萬字的著作及博大愛心留給人間。二十年代新文學文壇的女作家有冰心、廬隱、陳衡哲、凌叔華、蘇雪林等，後來有蕭紅、丁玲和張愛玲，各領風騷，而以冰心名氣最大，為至大國寶。絕少中國人不受冰心的影響。她是一名典型淡薄名利的知識分子和一個好人的楷模。她的去世，縱然是接近百齡，至今仍使人難過和失落。

幼年及少年時代

新文學家中不少是福建人，包括冰心、廬隱、林語堂、鄭振鐸、許地山等。冰心，原名謝婉瑩，又名謝星朗，祖籍福建長樂，一九〇〇年十月五日生於福州。從冰心《往事集》，知道她出身一個不舊不新的家庭，亦非富豪，是生活優裕的做官人家。父親謝葆璋是清朝末年海軍軍官，母親楊福慈是知書識禮慈祥溫厚的太太。冰心十一歲以前隨父親生活在山東芝罘海邊，整年整月所看見的都是青郁的山，無邊的海，飛翔的海鷗，藍衣的水兵和灰白的軍艦；聽見的是晨昏號角，風聲和海浪聲。

冰心童年在平靜安穩而富詩意的環境中長大，養成獨立深思性格，有時呆呆的獨自坐在石階上，對着大海，整整坐上三個小時。她四歲由母親教導認字，後轉由舅父教她讀書，七歲能讀多種作品如《三國志演義》、《塊肉餘生記》等舊小說和翻譯文學名著。

民國元年（1912年），冰心一家從山東煙台南歸故鄉福州，與祖父生活約有八個多月，由一位表舅父教她讀書，讀了很多舊小說及各種新文學雜誌，也讀了四書、唐詩等。冰心自謂只略識南方風土，亦無太大記憶，最深刻印象是祖屋書房書桌右壁祖父書寫的一副掛聯，聯文是：

知足知不足

有為有弗為

祖父從聯意勉勵冰心對有些事物應恆久要知足，譬如是物質及衣食住行，不可強求享受，但是在操行，學識和學養上要知不足，要不斷努力追求；另外對有些事物要有所作為，譬如對人民有益，人類和平及進步等事情，要不斷經營，但有違背上述的則千萬不可為。冰心九十歲以後，仍然在不同場合提及幼年時她祖父自勉聯的訓誨，成為她一生的座右銘，並且力求實踐。

中學和大學

民國二年（1913年），冰心全家遷往北京，翌年入讀北京貝滿女子中學。一九一九年五四運動爆發時，冰心正在北京協和女子大學讀理化預科一年級，後來該校與北京滙文大學及通州協和大學聯合組成燕京大學。冰心又負責學生會文書工作，積極參加學生愛國運動，擔任文字宣傳工作。該年七月，軍閥政府逮捕了五四運動愛國學生；八月二十一日，法院開庭審訊，各院校學生組織旁聽聲援，實際是向法院示威，要求立即釋放無辜學生。冰心作為女學界聯合會宣傳部成員參加旁聽，隨即寫了〈二十一日聽審的感想〉，發表於北京《晨報》一九一九年八月二十五日第七版，署名：女學生謝婉瑩投稿，是冰心第一次發表於《晨報》的作品。

一九一九年，冰心表兄劉放園擔任北京《晨報》編輯。在劉放園的大力鼓勵下，冰心開始創作，處女作是短篇小說〈兩個家庭〉（最初連載於北京《晨報》一九一九年九月十八日至二十二日第七版），首次以冰心為筆名，署名冰心女士，是投稿三天後登出，給她極大鼓舞。冰心的新詩創作更有成就，與徐志摩一樣，頗受印度詩聖泰戈爾影響。冰心將零碎的思想收集起來，編織成動人新詩，先後發表了《繁星》（共164首，最初發表於《晨報副鐫》一九二二年一月一日新文藝欄）和《春水》（共182首，最初發表於《晨報副鐫》一九二二年三月二十一日），傳誦一時。冰心亦是當時中國最有影響力文學團體「文學研究會」的健將，作品充滿對母愛的歌頌和對大自然的讚美，與「文學研究會」一群傑出作家，包括許地山（落花生）、廬隱、王統照、鄭振鐸、沈雁冰（茅盾）等，提倡血和淚的文學，主張寫作必須與時代的呼號互相應答，而且要深切關注國家社會的苦痛與災難。冰心的作品在新文學的主要陣地《小說月報》刊載比較多。《小說月報》主編是沈雁冰，那時該刊凡載女作家作品，署名必有「女士」二字，因此「冰心女士」更引起讀者的注意。

一九二三年，冰心在燕京大學畢業，一共有三十九名同級畢業。北京國家圖書館現仍藏有一份《北京燕京大學一九二三級同學錄》，載有同年四月十五日冰心寫的序言，署名謝婉瑩，其中一段云：「……在『仁愛與和平』裏，我們攜帶同一使命奔向着同一的前途。填崎嶇為平坦，化黑暗為光明……。在分途出發以前，大家同心的慷慨的將影兒聚在一起，互相提醒，互相勉勵，還要印證數十年後，我們三十九人中，是否沒有一個落伍者。」

有一點十分清楚，就是冰心寫此序文七十七年後，她已證明自己絕對不是落伍者，而且是一直走在時代的尖端。另外，該同學錄亦有記載冰心以文言文寫有關自己的小傳，有頗深舊文字功力。小傳最後云：「……提筆擬自述，始瞿然警覺，誦陳興義〈唐多令〉詩內，『二十餘年成一夢，此身雖在堪驚。』之語，俯仰宇宙，慨嘆何極！」冰心當時又怎料到還有七十多年創作歲月隨着而來！

留學美國

郁達夫曾說：「我以為讀了冰心女士的作品就能夠瞭解中國一切歷史上的才女的心情；意在言外，文必己出，哀而不傷，動中法度，是女士的生平，亦是女士的文章之極致。」

這是對冰心為人和為文的一個很恰當的概括。

一九二三年夏季，冰心畢業北平燕京大學，獲文學士；當時她已是早慧才女和文壇彗星。她的著名詩集《繁星》（1922年）和《春水》（1922年）觸動無數青少年的心靈深處，是新文學運動初期擁有最多讀者的作家。北京大學新潮社出版的《春水》初版本，存貨一千本在北京大學出售，一天內便搶購一空。

冰心燕京大學畢業後，決志遠赴美國深造；在當時社會，一名女子漂洋留學是一件了不起的事。一九二三年八月四日下午，冰心離開北平親愛的父母和三個弟弟，乘津浦列車，經濟南、泰安、臨城、蚌埠和蘇州，翌晨抵達上海，休息了多天，八月十七日乘約克遜輪赴北美，目的地是美國東岸波士頓。約克遜輪上有一百六十多名中國留學生，多為富家子弟，船中頭等乘客十分之九是中國青年。八月十九日到達日本神戶，二十一日抵橫濱，冰心順便乘電車往東京小遊，同日回橫濱輪上，準備東渡太平洋。同船二等三等艙中有許多來自俄國赴美國的難民，男女老幼約有一百多人。俄國人是天生音樂家，冰心夜裏在高層上靜聽他們在下層彈着六弦琴，月色襯着海濤聲和凄清琴調錯雜如泣如訴，增添聽者不少離情別緒。

約克遜輪上中國學生在旅途上開了兩次游藝會，都曾向船主商量請一些俄國難民從二等三等艙上來與眾人同樂，但遭船主拒絕。冰心為着那帶有屈辱和偏見的船規，非常不滿。輪船上的眾多中國留學生，當中有大家熟識的許地山（落花生）、梁實秋、顧一樵、吳文藻等，其中有一位真的十年修得同舟渡，六年後成為冰心夫婿。在太平洋上，他們舉辦輕鬆的文藝交流會，共寫了十四篇詩和散文，都寄回北平鄭振鐸，刊登在《小說月報》。冰心在短短三天內（八月二十五日至二十七日），先後寫了三首非常出色的新詩：〈惆悵〉、〈紙船——寄母親〉和〈鄉愁〉，前兩首直接寫母愛。〈紙船——寄母親〉一首，更是至情之作，很多人都會熟念，我亦忍不住引錄其中第一及第三段給讀者重溫回味：

我從不肯妄棄了一張紙，

總是留着——留着，
疊成一只一只很小的船兒，
從舟上拋下在海裏。

母親，倘若你夢中看見一只很小的小白船兒，
不要驚訝它無端入夢，
這是你至愛的女兒含着淚疊的，
萬水千山求它載着她的愛和悲哀歸去。

一九二三年九月一日，約克遜輪抵達加拿大温哥華附近的維多利亞，稍作停留後便徐徐駛入美國西雅圖，百餘個中國留學生從此各奔前程。約克遜輪上的侍者，全部是廣東人；最可敬的是他們很關心船上的美國人對中國留學生的輿論；船抵西雅圖之前一兩天，他們用全體名義，寫了一篇勉勵中國學生要為祖國爭氣的話，張貼在甲板，文字雖然不十分通順，但詞意真摯，中國青年自然也誠懇的回了他們一封信，表示衷心謝意。冰心匆匆遊覽了西雅圖湖山，九月三日乘夜車向美國西北部芝加哥進發，這列火車是專為中國學生預備的，車上沒有一個外國乘客，所以鄉音處處，一時各人幾疑身在祖國。九月七日抵芝加哥，冰心夜宿女青年會宿舍，當晚往看電影，散場後燈光驟明，觀眾紛紛起立離座，冰心也想回家去，猛然醒覺身處離家萬里，不禁憮然。翌晨匆匆登車往波士頓進發，更覺離群，火車上除了她們三個中國女學生外，其餘都

是美國人；到了中途站春田，連那兩個女伴也握手道別下車去。九月九日，冰心到達波士頓，辦理手續入讀著名的威爾斯利女子大學（宋慶齡、宋美齡姊妹曾先後入讀此女子大學）。住進宿舍閉璧樓，同宿舍的有九十六名美國同學，冰心主修文學碩士課程。

聖卜生療養院和沙穰療養院

開學後大約六個星期，冰心病倒了，患的是肺部支氣管擴大吐血症，是舊患，亦是從她母親遺傳的病，雖非致命，但極需要長時間靜養調理。冰心病情來勢洶洶，即時進聖卜生療養院醫理。該醫院是在小山上大學的範圍，冰心憑窗可以看見同學進出學校大門及圖書館。附近的慰冰湖（由冰心音譯，意思是安慰冰心），更是她經常散步的地方，晚霞和湖波的細響，同是她的伴友。十二月十五日，由數位師長伴着冰心乘輕車，降雪中馳過深林，到了沙穰療養院繼續治療。沙穰療養院座落一小山上，名青山，非常幽靜，適合靜養。冰心十分欣賞青山夜中雪景；一九二四年二月二十九日夜是一個如煙似夢、萬籟俱寂的冬夜，冰心透過病室窗戶倚枕凝視林中月下的青山雪景，寫了一篇動人的散文（最初發表於《小說月報》1924 年 7 月第 15 卷第 7 號，後收入《往事》），其中一段用抒情的筆調和以動托靜的手法，用四個排比句去塑造青山無比的靜態，明是寫景，實是抒情，精彩非常。我特意節錄給讀者欣賞：

今夜的林中，決不宜於將軍夜獵，……

朵朵的火燎，和生寒的鐵甲，會繚亂了

靜冷的月光。

今夜的林中，也不宜於燃枝野餐……
踏月歸去，數里相和的歌聲，會叫破了
這如怨如慕的詩的世界。

今夜的林中，也不宜於愛友話別……
而抑郁纏綿，作繭自縛的情緒……
對不上這晶瑩的雪月，空闊的山林。

今夜的林中，也不宜於高士徘徊……
而一片光霧凄迷之中，只容意念回旋，
不容人物點綴。

（醉花陰）
薄霧濃雲愁永晝
瑞腦消金獸
佳節又重陽
玉枕紗廚半夜涼初透

東籬把酒黃昏後
有暗香盈袖
莫道不銷魂
簾捲西風人比黃花瘦

冰心手迹（1925年），李清照詞——〈醉花陰〉

一九二四年七月四日，冰心康復離院，計住在兩間療養院有七個半月，逼使她在美國研讀碩士學位的日子延長了半年有多。

寄小讀者（通訊 1-29）

由一九二三年八月預備出國至一九二六年七月底回國，冰心在三年中寫了二十九個通訊，即是著名的《寄小讀者》，其中有十八個通訊是在上述兩間療養院寫成。根據冰心自己說，她在通訊裏自由地寫出她童心中不足為大人道的可驚可笑之事。《寄小讀者》一九二六年底出版後，在九年內便發行了二十版，後來更翻印無數次，是自有新文藝書籍以來，未有如此暢銷的書。為什麼青少年讀者如此陶醉這本如詩如畫的通訊？主要是通訊體裁給作者有個傾訴對象，感情更着實，能夠將心底話酣暢的傾瀉出來，如出谷清泉；加上冰心的文字精練清麗，意象美妙，以小孩子語氣真心的自由的速記了三年裏國外經歷和病中感想。二十年後，冰心寫了《再寄小讀者——通訊 1-3》（1942-1943），解放後又寫《再寄小讀者——通訊 1-20》（1958-1960），及《三寄小讀者——通訊 1-10》（1978-1980），我總覺得在美國留學時寫的《寄小讀者——通訊 1-29》（1923-1926），感情比較純真一些，內容滿蘊着温柔，微帶着憂愁，這可能是我的偏見。

後語

一九二五年七月四日，冰心病癒離開沙穰療養院，回校復課，住在比較老舊的宿舍娜安辟迦樓。離療養院後有兩次回到沙穰去探候病友。一九三六年，冰心隨丈夫赴美國作研究，巧逢哈佛大學建校三百週年紀念，他們夫婦二人代表燕京大學參加校慶，冰心借此良機重訪威爾斯利女子大學及附近的舊遊地。她發覺前往的宿舍閉璧樓和娜安辟地樓都拆了，慰冰湖與青山則別來無恙，青山綠水似乎招手迎接故人，冰心感動不已。

刊《多倫多文藝季》
第十七期（二〇〇二年一月）
第十八期（二〇〇二年四月）

冰心一首情詩的背後

相思

躲開相思，
披上裘兒
　走出燈明人靜的屋子。
小徑裏明月相窺
枯枝——
　在雪地上
　　又縱橫的寫遍了相思。

冰心
一九二五年十二月十二日

冰心一生寫了不少動人心絃的新詩；根據記錄，〈相思〉是她唯一的情詩。究竟相思對象是誰？我試在本文探討。

約克郵輪上的男士們

一九二三年八月十七日，冰心在上海乘約克遜郵輪往美國留學。乘客幾乎都是中國留學生，清華留美預備學校就有百多人，包括同班同學梁實秋、顧一樵、吳文藻等，燕京大學有冰心、許地山等。在橫渡太平洋的十多天旅程，他們在船上客艙入口處辦了一個文學性質的壁報，又名「海嘯」，又組織了至少兩次文藝交流會，後來還選了十四篇詩和散文寄回上海《小說月報》發表（1923 年 11 月 10 日十一期）。上述五人在三、四年後學成歸國，在文化界都有超卓成就，其中吳文藻更成為冰心夫婿，其餘三人終身都是冰心一家摯友。

梁實秋（1902-1987），浙江餘杭縣人，比冰心小兩歲。一九一五年考入北平清華學校，一九一九年開始寫新詩，與冰心時有作品刊於北平《晨報》副刊。一九二三年在往美國途中，由許地山介紹認識冰心。一天在甲板上忽然對冰心說：「我在上海上船以前，同我的女朋友話別時，曾大哭一場。」冰心對他的真率性格頗有印象。梁實秋抵美國後入讀哈佛大學，一九二六年回國，翌年與程季淑結婚。程女士就是當年惹起梁實秋大哭一場的那位女士。一九四九年，梁實秋到台灣，與冰心仍常有通消息。一九五一年，冰心一家從日本回國，這時台灣就謠傳「冰心夫婦受到中共的逼害，雙雙服毒自殺。」梁實秋亦從顧一樵得到同一消息，很快寫了一篇〈憶冰心〉的悼念文章。後來冰心看到這篇文章十分感動，還寫了一封問候信托人從美國轉給他。一九八五年，中國友誼出版公司出版梁實秋的散文集《雅舍懷舊——懷故知》，出版社還請冰心作序。梁實秋的太太程季淑不幸於一九七四年四月在美國西雅圖遭意外身亡。梁實秋後來古稀之年在台灣與聞人韓菁清結婚，一時文化界議論紛紛，這是後話。

許地山（1892-1941），福建龍溪縣人，比冰心大八年，他二十四歲到北平入讀匯文大學（即燕京大學前身），攻讀宗教和國文。冰心一九二三年時曾上過他的課，那時他是周作人的助教，有時替周作人講書。說來真巧，冰心與吳文藻相識，是有一次冰心請許地山去找吳姓同學弟弟、清華的學生吳卓來參加扔沙袋遊戲，結果許地山找錯了人，卻把同姓的吳文藻找來。許地山以後常跟他們說笑話，謂幸虧那時「陰錯陽差」，否則冰心、吳文藻到了美國後，一個在波士頓，一個在新罕布什州，很難有機緣發展感情。許地山在紐約的哥倫比亞大學讀了一年便轉往英國牛津大學；一九二七年回燕京大學任教，與冰心做同事。一九三五年，許地山到香港任香港大學中文系主任，一九四一年任內離世，正當盛年，非常可惜；他的成名作「落花生」散文，可以說是家傳戶曉。

顧一樵（1902-2002），江蘇無錫人，一九一五年入讀清華學校，未去美國留學已發表著名中篇小說《芝蘭與茉莉》。一九二九年，美國畢業後回國任教浙江大學、清華大學。一九四〇年抗戰時，冰心住在昆明的呈貢縣，吳文藻與顧一樵在貴陽工作，吳文藻曾寫信囑冰心寫一條橫幅書法與顧一樵。一九五〇年，顧一樵赴美國；先後任教麻省理工學院和賓夕凡尼亞大學。一九八七年，梁實秋病逝後，冰心第一時間去信通知顧一樵，可見冰心與約克遜輪船四位男士有非常深厚的友誼。

約克遜輪上的幸運兒

在約克遜輪上，吳文藻一再鼓勵冰心到美國後要多看書以擴闊眼界，冰心對他的坦率性格有很好印象。吳文藻一九二三年秋抵美國後先入讀新罕布什州的達特默思大學和紐約哥倫比亞大學。他與冰心在美國認真的通信，吳文藻買書讀過後，總是寄給冰心，互相交換閱讀心得。冰心在療養院期間，他亦曾多次乘八小時火車來探病。一九二五年，冰心到紐約遊，住在老師家中，吳文藻隔天便來看她，大家感情日增。該年夏天，冰心到波士頓附近康耐爾綺色佳大學進修法文，吳文藻亦來伴讀，當時徐志摩前女友林徽因適在康耐爾，根據林徽因，綺色佳湖上是冰心與吳文藻定情之地，同年七月、八月間，冰心寫了三篇散文，名〈綺色佳 Ithaca（一）（二）（三）〉，其中八月三日夜寫的一篇有以下深情的記述：

「……月光照着我的衣裳，告訴我：
『有你在，有我在，決不能是夢！』湖水和着船舷，告訴我：『你在船上，我在船旁，上有湖天、湖月，中有湖山。這一切都互相印證，決不能是夢！』……」
（最初發表於 1926 年 5 月 20 日《留學生季報》第 11 卷第 2 號）

冰心以上的描述明顯是一種感情的深種，所謂「月光」和「湖水」的告訴，無非是兩個人互相的傾訴，並以「湖天」、「湖月」和「湖山」作為天上人間的印證。後來有好事者以為衛理斯利大學慰冰湖畔才是二人以心相許之地，大概認為冰心唯一的情詩〈相思〉是作於慰冰湖畔，其實是誤傳。

一九二五年十二月十二日，冰心收到吳文藻一封充滿懷念之情的信後，在宿舍裏念不下書，想到圖書館人多的地方，於是披上大衣，走下樓去，發現雪地上觸目的都是滿地枯枝，像寫上「相思」二字，因為『相』字旁的「目」字和「思」字上面的「田」子，都是橫平豎直的，在雪地上構成形象「相思」二字，結果在圖書館裏寫了這唯一的情時，但未有寄出給吳文藻，這時距離山光月色綺色佳二人湖上遊已有半年了。

梁實秋舞台上做嬌婿

一九二四年七月四日，冰心病癒後返校復課，專心撰寫有關宋代女詞人李清照的碩士論文，曾往附近哈佛大學圖書館找資料。當年哈佛大學還未許女生入讀，當然不准別校女生進入大學圖書館，幸有朋友陳岱孫協助借書，冰心晚年還笑説：「哈佛不許我借書，後來哈佛請我去，我也不去了。」一九二四年底，波士頓附近中國學生們在慰冰湖上泛舟，有人動議組織「湖社」，每月聚會一次，每次有不同的議題，梁實秋、顧一樵、陳岱孫曾先後分別主講，冰心亦曾講論研究李清照的心得。

一九二五年初，波士頓的中國留學生演戲宣揚中國文化，決定排演由顧一樵改寫、梁實秋英譯的古典劇《琵琶記》，三月二十八日在美術劇院公演，由謝文秋飾趙五娘，梁實秋飾蔡中郎（蔡邕），顧一樵飾宰相，因為演宰相女兒的邱女士臨時病倒，由冰心頂替了她。在紐約的聞一多從紐約來波士頓過春假，因為他是學美術的，大家請他負責佈景，並且由他替演員化妝，吳文藻亦趕來做忠實觀眾，結果演出大獲各報好評。當時許地山已去英國深造，冰心晚年還憶述顧一樵給她讀過許地山從牛津大學的來信説：「實秋真有福，先在舞台上做了嬌婿！」。可見約克遜郵輪上的男士們對冰心都有愛慕之心。後來一九二九年冰心和吳文藻婚後，與他們仍時有通信和來往，長時期保持純真的友誼。

《多倫多文藝季》
第十九期（二〇〇二年七月）

冰心（左）1925 年夏與林徽因在美國綺色佳

再談冰心

冰心留學美國

冰心在美國留學三年（1923年秋至1926年夏），其中有大半年在療養院渡過。她的性格酷似兩宋間女詞人李清照，在美國研究的碩士論文，亦是有關李清照詞，題目是「李易安女士詞和編輯」，以英文撰寫。論文用了二十五首李清照代表詞作，選自李清照的詞集《漱玉詞》。一九二六年夏，論文交威爾斯理女子大學研究院導師核實審查，獲順利通過。

一九七四年夏季，我乘在美國工幹之便，匆匆訪問波士頓威爾斯理女子大學，大學附近的松林和翠湖確令人心醉，一時神交已久的地名如「慰冰湖」、「閉壁樓」、「沙穰療養院」都湧上心頭。順步往大學圖書館，從目錄找到冰心寫的碩士論文分類編碼，請圖書館主任從書庫找出，我略看一遍，並且影印了書名頁留作紀念。臨別時我還對那圖書館主任說：「你知否這位一九二六年在貴校畢業女士現已成為中國當代最偉大的女作家？」圖書館主任對我這位遠道而來只影印一頁書名頁的怪客，頗感詫異。

六年後（1980年夏），冰心大女兒吳冰赴美國夏威夷東西方中文文化學術研究所訪問，亦有到其母親母校威爾斯理女子大學訪尋，該校仍保存着這篇原稿，徵得校方同意，將原稿複印帶回國，到九十年代初卓如編《冰心全集》（福建海峽文藝出版社，1994年）時，編者分別請冰心的女婿陳恕和大女兒吳冰譯成中文。

冰心的夫婿吳文藻

冰心是成名很早的女作家，聞說年青時很多人曾追求她。根據一些燕京大學畢業生的回憶，除了近水樓台的燕京大學師生多人外，還有從清華大學追過來的也不少；羅家倫（江西人）是其中之一，他是新潮社的主幹人物，留學美國，英國和德國，後來任清華大學校長，早年曾寫信向冰心求婚，但遭婉拒，原因不詳。另外名作家張恨水亦頗仰慕冰心，追求失敗後，題句「恨水不結冰」，明顯是「吃不到的葡萄是酸的」，使人發噱。我前曾述説約克遜輪船上的數位男士都仰慕冰心，其中許地山有濃重名士氣，未得冰心歡心，惟獨吳文藻是最後勝利者。一九二九年六月十五日，冰心與吳文藻在燕京大學臨湖軒舉行婚禮。婚禮十分簡單，客人只有燕京大學和清華大學的同事和同學，冰心晚年還記得那天是星期六，待客的蛋糕、咖啡和茶點，只用去三十四元！

冰心當年下嫁吳文藻，的確令很多人出乎意料。事前大家都揣測冰心會與詩人文士結合，不料卻選上一位社會學博士。吳文藻面容方方正正，規規矩矩，一望便知是誠實可靠的忠厚君子，加上殷勤體貼，脾氣又好，是個標準丈夫。他們以後的悠長達五十年美滿家庭生活，證明冰心的選擇是明智的。讓我舉以下一個實例作證明。

一九二九年六月十五日，冰心與吳文藻結婚照。一對新人後面為燕京大學校長司徒雷登。

一九二九年冬，冰心忽然收到母親在上海病危的電報。新婚不久的吳文藻急忙伴送冰心從北平乘快車往天津。預備轉搭船到上海。到天津當日，冰心慢性盲腸炎復發，夫婦二人匆匆住進梁啟超女兒在天津的家。翌日，吳文藻陪冰心上順天輪。文藻因大學工作忙，要趕回北平，因此未能一同南下，他們只好在天津碼頭順天輪上話別。吳文藻早已說會乘三等火車回北平。由於天氣嚴寒，冰心再三叮囑他勿節省車資，要坐有汽爐設備的二等車，他滿口答應，但等到冰心到上海後，得到他的來信說：「對不起你，我畢竟是坐了三等車……更有一件可喜的事，我將剩下的車資在市場的舊書攤上，買了幾本書了……。」冰心自己親口說，吳文藻為人很穩重，很樂觀，好像一頭牛。冰心較情感化，說話時常帶點輕鬆笑聲，使人解除一切拘束。一九六六年「文化大革命」開始，冰心夫婦跟其他知識分子一樣靠邊站，住進牛棚，一直到「四人幫」被粉碎之後，各種學術研究得到恢復，吳文藻又再積極參加社會學研究。一九八五年九月二日，文藻在北京醫院病逝，當時冰心已患腦血栓及右腿骨折，已多年足不出戶了。

冰心對徐志摩的印象

當年燕京大學同學們廣傳名重一時的詩人徐志摩亦追求過冰心。其實二人早已認識，徐志摩曾任北平《晨報》副刊主編，冰心早年作品亦有在《晨報》副刊登載。冰心的良友王世瑛是冰心先後同學，亦是徐志摩元配張幼儀的嫂嫂，即張君勱的太太。冰心與徐志摩都是才氣橫溢，同樣深受印度詩聖泰戈爾影響，在常情上，原該是十分登對的，但冰心眼光獨異，放棄富氣質的徐志摩而鍾情方正規矩、誠實可靠的吳文藻。此中是否也有緣在？

冰心一向欣賞徐志摩的詩才，但非常不滿他對愛情不專一，認定他是自己糟蹋自己。一九三一年八月，徐志摩不幸飛機失事逝世，同年十一月二十五日，冰心去信好友梁實秋談到徐志摩，說她很欣賞志摩的詩，魄力甚好，但情調則趨向一個毀滅結果，譬如他的力作詩〈飛〉，彷彿就是他將死未絕時的情感。冰心回憶志摩最後向她傾訴的兩句說話：「我的心肝五臟都壞了，要到你那裏聖潔的地方去懺悔。」冰心比喻志摩為蝴蝶，而不是蜜蜂；女人的好處就得不着，女人的壞處就使他犧牲了。雖然冰心自認跟志摩從來不是什麼朋友，但對志摩的評論是一針見血的。

結語

多番時空交錯的漫談冰心，彷彿面對故人，故人恬淡端莊，渾身表現着大家風範，容貌、言談、舉止和談吐神色都隱藏一副菩薩心腸，吐露着內心的温柔、靈慧、純潔和善良；從青年到晚年的作品，都發放着濃濃的憐愛和淡淡的哀愁。冰心一生只有光明燦爛的愛，正如〈寄小讀者十三〉裏說：「我生命中只有『花』、『光』和『愛』，我生命中只有祝福，沒有詛咒」。

中國人真有福氣，在整個二十世紀都擁有冰心。萬能的上帝，懇求你在二十一世紀能賜下另一位冰心給中國，使我們在悠悠的生命道上，無論是一片安寧，或是四顧徬徨，藉着她帶給我們永恆的盼望，一路的扶持；又提醒我們，什麼是真正的愛，什麼是真正的文學。最後，讓我們都謹守冰心的座右銘：「知足知不足，有為有弗為。」

漫談奇行情僧蘇曼殊

前言

南社是清代末年至民國初年一個富革命性的文學團體，影響當時文化及政治甚大。南社社員有一千餘人，其中有兩位是僧人——蘇曼殊（1884-1918），弘一（即李叔同，1880-1942）。曼殊先後剃度三次。衣裳服飾在僧俗間，行為怪異隨便，非常入世；弘一法師性情含蓄而出世，為人處事一絲不苟，寫書信便條每句都整齊圈點。二人在文學詩歌藝術方面有一共通點，就是使人靜化，流露絲絲純真感情，突出另一種人生境界。曼殊短短三十五年生命中，其日常生活表現很多奇行怪事及不平衡的極端性格，譬如他的舊體詩和小說《斷鴻零雁記》表現無限柔情蜜意。另一方面，他在清末已在日本參加義勇隊，以革命為宗旨，甚至曾懷手槍意圖暗殺保皇黨領袖康有為，性格頗剛烈。很多人批評曼殊為一怪異悲情者，但我要強調他並非離經背道者，只不過他的天才不易為庸俗所了解。

蘇曼殊像

恨不相逢未剃時

引起我漫談情僧蘇曼殊是小明星（鄧曼薇）唱的一曲「恨不相逢未剃時」。大約八十多年前，小明星已是省港澳著名女歌伶，飲譽歌壇。有一回，她借讀《曼殊詩集》及曼殊自傳體小說《斷鴻零雁記》後，非常受感動，隨即央求名編曲家王心帆撰寫一支描寫曼殊愛情故事的粵曲給她唱，心帆一口答應。王氏致力研讀曼殊所有詩作，然後化其詩意為整首新曲的脈絡，曲名「恨不相逢未剃時」，出自曼殊《本事詩》第七首其中一句（原詩後兩句是「還卿一缽無情淚，恨不相逢未剃時」），比前人詩句「恨不相逢未嫁時」更有佛味。大約八十年前，小明星在廣州西湖歌壇初唱此曲時，轟動遠近。還有人記得當夜小明星首唱名曲，座中顧曲周郎凝神靜聽，全場一時鴉雀無聲；當小明星唱出首句：「懺情禪，空色相，垂垂入定」，恍似一位情僧懺情入定般唸着經文，眾茶客心裏暗暗喝彩；當她以流花句唱出曼殊名詩句「縱有歡腸已似冰」七個字時（原詩最後兩句是：「無端狂笑無端哭，縱有歡腸已似冰」），小明星忽有所感，忍不住落淚，聽眾無不動容。跟着小明星徐徐靜斂芳容，以獨白說出曼殊名詩句：「寄語麻姑要珍重，因為我琵琶湖畔，久已枕經眠呀！」（原詩句為「寄語麻姑要珍重，琵琶湖畔枕經眠」），各人更為傾倒。曼殊有詩才，他的精句都出現一曲「恨不相逢未剃時」，讀者閒來不妨一聽再聽，一定會擊節讚賞。

蘇曼殊的血統

歷來研究蘇曼殊者對他的血統都糾纏不清。在感情的表露上，曼殊對中國比對日本深厚，對自己的國籍亦有矛盾的說法。在《斷鴻零雁記》，他曾自稱是日本人，但在〈秋瑾遺詩序〉及二十九歲申請加入南社時，則稱自己是中國人，籍貫廣東香山。根據發現的《中山瀝溪蘇氏族譜》，曼殊為十八世祖，為蘇傑生第三子，生光緒甲申年（1884年）八月初十日午時，並無記錄生母姓名及出生地點。究竟曼殊是中國人？是日本人？還是中日混血兒？誰是他的生父生母？綜合各方面資料有以下數說：

（一）父母都是日本人

錢基博《現代中國文學史》謂曼殊親父名宗郎，親母河合氏，都是日本人，曼殊出生數月後親父逝世，母子無所依，遇廣東香山人蘇某在日本營商，遂歸蘇門，曼殊成為蘇家「油瓶兒」。此說毫無根據，不足信，料是好事者捕風捉影，以訛傳訛之傳說。

（二）父為廣東香山人蘇傑生，母為日本河合仙

曼殊一生視河合仙為生母，曾多次到日本探望。查河合仙無所出，以河合仙為曼殊生母一說不確。

（三）父為蘇傑生，母為日本人河合仙之婢女

此說出自蘇傑生二妾侍陳氏（大陳氏）。大陳氏無生男丁，極妒忌曼殊生母一索得男，而曼殊少年時常受大陳氏虐待，曼殊為日本下女所生一說，大概出自大陳氏刻意貶低其生母地位，故此說亦不可靠。

（四）父為蘇傑生，母為河合仙親妹河合若。

此說出自大陳幼女蘇惠珊（曼殊同父異母幼妹），惠珊晚年長期居於香港，曾在東華醫院小學教書，七十代移居加拿大。大陳氏晚年將曼殊身世告訴惠珊，故此說為可靠。

蘇曼殊對自己籍貫前後有茅盾，表明他作為中日混血兒內心的困惑和失衡。他在友人面前往往避而不談自己的身份，但在很多場合又毫不含糊堅持認自己是中國人。有一次在上海龍華，一名華人遭外國人無理欺侮，曼殊挺身用流利英語斥責，那外國人以為他是日本人，曼殊堅定表明自己是中國人。

蘇曼殊的身世

曼殊亦名戩，幼名子穀，學名湜，又名元瑛，亦作玄瑛，法名博經，曼殊為其號。四歲時，其日籍外祖父為他取日本名「宗之助」，一生所用別號與筆名有數十個，譬如沙鷗、春蠶、糖僧、阿難、淚香、雪蝶、宗三郎、燕影生等，都是非常怪誕而不知其究竟。

蘇曼殊祖籍廣東香山瀝溪鄉（即今珠海市前山區南溪鄉瀝溪村），祖居在蘇家巷，距離澳門關閘約大半小時自行車程。曼殊祖父瑞文公（1817-1897）在日本經營進出口業起家，六十七歲告老還鄉。曼殊父傑生（1845-1904）繼承父業，一八六二年赴日本橫濱經商，初營蘇杭匹頭，後轉營茶葉，常來往中日之間，一八八二年任橫濱英商萬隆茶行買辦，傑生有以下眾妻妾：

（一）元配黃氏（1844-1923）即曼殊嫡母，居香山原籍，生二子一女。

（二）大妾侍河合仙（1849-1923），一作藤氏：日本人，即曼殊大庶母，家人稱「亞仙」或「活仙」，一八七四年在橫濱嫁傑生，無生育。

（三）二妾侍大陳氏（1868-1939），香山人，即曼殊二庶母，一八八三年到橫濱嫁傑生，生五女。

（四）三妾侍小陳氏（1873-1897），香山人，即曼殊三庶母，一八九一年到橫濱嫁傑生，無生育。

當年華人在日本經商，大都好與日婦同居，廣東人稱為「包日本婆」，月給數元為報酬，形同配偶，亦無所謂嫁娶。一八七四年，隨河合仙入蘇家有一日本女子名若子，又名呵哈家，別人以為是下女，其實是河合仙親妹河合若（1866-？），蘇傑生偶見若子胸前有紅痣，以為必生貴子，後來與若子有染而生曼殊，傑生元配大小陳氏妾侍亦不知情。曼殊生下後三個月，若子托詞歸故鄉逗子櫻山省親，一去不返，傑生將曼殊交河合仙撫養。河合仙因其妹失身於傑生而生自疚，而自己無所出，故視曼殊如親生子，細心養育。

坎坷的童年

蘇曼殊一歲至四歲跟隨大庶母河合仙在橫濱生活；四歲至五歲一段短時期與生母河合若及外祖父母在東京生活，曾與外祖父母合拍照片，外祖父為其取日本名「宗之助」，六歲時再度與河合仙住在橫濱。當時嫡母黃氏及二庶母大陳氏見蘇家連連生女，深為感嘆，傑生乘機首次揭露已有親生子藏於外室，黃氏及大陳氏力促將曼殊帶回廣東故鄉，所以曼殊六歲時隨嫡母及舅舅黃玉章回香山故居，與祖父母、叔嬸、堂兄弟妹生活。曼殊身體自幼瘦弱，食量甚少，由於出身及環境複雜，引致性情孤僻，沉默寡言。由六歲至十二歲，在故鄉簡氏大宗祠村塾讀書。其間傑生在日本生意不竟，偕大陳氏、二陳氏回鄉，後來轉往上海營商。

曼殊童年時期已被人視為「異類」和「雜種」，時遭白眼，使他一度嘔氣自認為日本人，十三歲時曾患大病，其嬸嬸料其不治，將他停放在柴房待死，幸得其堂嫂悉心料理，始得康復，同年隨二姑丈二姑母到上海跟父親生活。二庶母大陳氏視曼殊為眼中釘，百般刻薄及歧視，形成他消極、厭世和悲觀性格。曼殊在上海隨從西班牙牧師羅弼莊湘學習英文，因此外文基礎甚佳。

清末民初文學界有兩個奇人，一個是辜鴻銘（1857-1928），另一個是蘇曼殊。曼殊身世奇，性情奇，際遇奇，文學詩畫更奇，生平行蹤飄泊無定，形迹迷離，無論身處何地都像是異鄉人。曼殊天聰穎悟過人，除有深厚國學基礎外，更精通英文、日本文及梵文。曼殊一生成就極大，短短三十五年生命，恍如別人三世時光。

蘇曼殊三次剃度

蘇曼殊十五歲（1898年），遵從父囑隨表兄林紫垣再到日本橫濱，入讀清末梁啟超創辦的大同學校。同校別級同學有鄭錦，中山縣雍陌鄉人，鄭錦歸國後創辦國立北京美術學校，為著名新派畫家。曼殊在課堂上曾舉手自認是中日混血兒，面對女孩子時多羞怯臉紅，故有綽號「櫻開花」，性格孤僻，常感歎身世飄零。十七歲時，曼殊生禪念，潛回廣東流浪，最後到新會崖山慧能寺投贊初大師，是為第一次剃度。隨後曼殊往番禺雷峰法雲寺，因為偷食五香鴿子，犯戒被逐，轉往廣州白雲山蒲澗寺，同年重返日本橫濱，住庶母河合仙家。

曼殊二十歲（1903年）。由於表兄林紫垣干預其參加留日本學生所組織的革命團體青年會學生軍，並斷絕經濟供給，曼殊憤而棄學歸國，目的投身國內革命運動。曼殊日籍女友靜子為此蹈海殉情，曼殊頗受刺激。曼殊回國後先到廣州，尋師不遇而轉至惠州，在一破廟拜一名老僧人為師，得法名「博經」，自號「曼殊」，是為第二次制度。不久曼殊不堪僧人生活清苦，偷取師父洋銀二角，經東莞赴香港，與革命黨人為伍，思想轉趨激烈。

曼殊二十一歲（1904年），得親友資助由香港赴暹羅，住龍華寺，學梵文，體察當地僧侶生活，受戒於左臂上，是為第三次受剃。曼殊隨後漫遊錫蘭、越南等國後回中國，在上海、杭州一帶與革命黨興中會人有密切往還，並以僧人身份作掩護匿居杭州白雲庵，從事革命活動。

《斷鴻零雁記》與蘇曼殊愛情際遇

一九一〇年，曼殊在爪哇中華學校任教，翌年自爪哇東渡日本，途經香港、廣州、上海、東京、京都，舊地重遊，勾起不少前塵往事，遂孕育其著名愛情小說《斷鴻零雁記》腹稿。翌年暑假歸爪哇，應泗水《漢文新報》主筆沈鈞亞之邀請，在其副刊連載《斷鴻零雁記》上卷。一九一二年春，曼殊再到上海，應太平洋報社聘為主筆，與柳亞子及李叔同（弘一法師）為同事，曼殊將此小說上卷續作完，同時交《太平洋報》從頭連載，轟動一時，且多次出版單行本。寒齋藏有上海廣益書局印行《斷鴻零雁記》袖珍本（民國十四年出版，商務印書館於一九二四年曾向廣益書局商借版權，譯成英文，以餉外國讀者），封面有粉紅底色蘇曼殊袈裟裝照片，下有水墨畫，畫面是兩隻顧盼自如的蘆雁，現在可算是海外孤本。曼殊自認以早年生活和感受為基礎而虛構此小說，內容有虛有實，哀艷纏綿，以出世佛子敘述入世情，極盡波譎雲詭。小說男主角僧人「三郎」，顯然是曼殊夫子自道。在現實生活，曼殊在兄弟輩排行第三，與友好通信亦偶有署名「三郎」或「三」。小說女主角有三位，其一是三郎未婚妻雪梅，其二是日籍姨母之女靜子，其三是早年英文老師羅弼莊湘第五女雪鴻。三段愛情都沒有開花結果。

《斷鴻零雁記》記載雪梅為其繼母力逼作富家媳，在出閣前夕絕食死。坊間曾傳曼殊父早年在鄉間為曼殊聘雪梅為未婚妻，曼殊父死後，女家絕婚，雪梅隨後亦病歿。考究曼殊生平，從未有訂婚一事，肯定雪梅為小說虛構人物；亦可能是好事者根據曼殊名詩句「碧玉莫愁身世賤，同鄉仙子獨銷魂」（本事詩第三首）而以訛傳訛。

《斷鴻零雁記》所記莊湘第五女雪鴻，確有其人，而且與曼殊有情愫。一九〇九年，曼殊赴爪哇任教，途經星加坡時忽患病，入住莊湘家，雪鴻及其父曾力勸曼殊留下星加坡生活。雪鴻與曼殊經常討論英譯詩事，曼殊臨別時贈外文詩數冊留念。翌年，曼殊《燕子箋》脫稿，曾懇請雪鴻携稿往西班牙馬德里謀求出版；惜神女有心，襄王無夢，二人感情始終無突破。

《斷鴻零雁記》以相當多篇幅描述三郎與其日籍表妹靜子之愛情，最後三郎去決絕信謂自己出生時已遇惡運，既已剃度為僧，絕不能有家室，揮刀斬斷情絲。查考曼殊生平，確有曾遇靜子其人。一九〇二年，曼殊十九歲，入讀日本早稻田大學高等預科中國留學生部，生活十分清苦，每月只靠表兄林紫垣接濟十元。曼殊偶遇一少女名靜子，情意相投。翌年曼殊因經濟來源斷絕，決定棄學歸國；靜子苦勸其留日不果，待曼殊離日後蹈海自殺殉情。

蘇曼殊鍾情調箏人

蘇曼殊是個「天生情種」，雖然二十一歲（1904年）以前已經三次剃度，仍不時叩敲俗世情關。一九〇五年夏，曼殊在南京江南陸軍小學堂任教時，與知己劉三結交秦淮歌伎金鳳。曼殊對金鳳情意綿綿，後來金鳳作歸家娘，曼殊仍忘懷不了，在東京曾兩度作詩懷念金鳳。

縱觀曼殊一生，最使曼殊刻骨銘心莫如一名日本藝伎名百助楓子。一九〇九年春，曼殊在東京一個演奏會上為一曲箏聲感動而邂逅此彈箏藝伎（或稱作調箏人），彼此一見引為知音，互訴身世而生情。曼殊將聽箏情景和感受寫在百助玉照上，分贈國內友好，柳亞子亦獲得一幀，後來柳亞子將此照片轉贈上海名掌故專家鄭逸梅，逸梅年前病逝，此珍貴文物又不知流落何處。民國初年包天笑所輯《小說大觀》，有此照片銅版插圖，照片上的日本姑娘就是百助，側坐弄箏，樣貌娟美。有一次，百助有遠行，曼殊繪贈《金粉江山圖》以寄托離情別緒。後來百助真的以身相許，曼殊猛然醒覺自己早已歸佛，只得婉言拒絕，有情人未能成眷屬。一年後，曼殊寫言情小說《斷鴻零雁記》，以大量筆墨寫與靜子之愛情，並無提及百助。其實小說的所謂「靜子」就是「百助」化身，小說內三郎在決絕靜子的信謂：「……余實三戒俱足之僧，永不容與女子共住者也……」，實在是借三郎之口訴說拒絕百助之因由。曼殊始終未有忘懷百助眷戀之情，曾寫下多首感人肺腑舊詩，使人盪氣迴腸。

漫談到這裏，我不禁將話轉向另一段小掌故。曼殊決絕百助十年後，我國另一位多情種子郁達夫亦在日本留學，偶然認識一位旅舍日本侍女，名玉兒。一九二〇年四月，達夫回國成親，在京都旅舍與玉兒話別。玉兒彈琵琶訴別情，達夫寫詩贈別玉兒。筆者在《多倫多文藝季》第八期有拙作介紹〈西京客舍贈玉兒詩〉，讀者有興趣可以參閱。百助的箏聲和玉兒的琵琶語，見蘇曼殊的詩句「我已袈裟全濕透，那堪重聽割雞箏」和郁達夫的詩句「鐘定月沉人不語，兩行清淚落琵琶」，先後成為文壇佳話，使人低迴不已。

情僧的怪行

蘇曼殊生長在中國歷史上最黑暗時代。複雜的家庭背景和當時人吃人社會形成他後期消極厭世態度，放縱的行為和傷身的嗜好。這些時代性的弱點都促使他英年早逝。曼殊一生怪行甚多，譬如他不辨稻麥，一連吃四五碗飯後亦不知飯是由稻米煮成。他對鈔票價值總弄不清楚；有一次，朋友給他鈔票，他興之所至在市集買了一件藍布袈裟，不問價錢便付高價二十元，其餘鈔票又在途中飄落一空，回來後問他如何花掉了錢，他竟茫然不知所答。

辛亥革命前後，上海一班有志之士常在妓院的掩護下談論革命。在妓院開筵請客，即上海人所說「吃花酒」，主人家謂之「做家頭」。身為出家人的蘇曼殊亦時有參與「吃花酒」，在座大都是南社社友，主人為曼殊召集多位名花坐其側，他亦樂在其中。名小說家包天笑有詩句「萬花環繞一詩僧」形容當時情景。上海風塵女子如周五、桐華、黛雲等都是曼殊紅顏知己。事實上，曼殊從不諱言涉足花叢生活，但他已參透「色即是空，空即是色」妙諦，並未一破其禪定，所追求的只是柏拉圖式戀愛。

蘇曼殊容易動情，聽到哀樂就「袈裟濕透」，憑弔古迹就「凄然淚下」，與人握別就「淚沾衣襟」，興奮時會手舞足蹈，樂極忘形，激憤時會拍案而起，高聲喝罵，這都是極度情緒化的表現。此外，曼殊性好標奇立異，有時袈裟芒鞋，有時西裝革履，有時蓄長鬚，不修邊幅，有錢時揮金如土，窮困時擁被高臥。曼殊好友古文學家劉師培記得有一次遊覽杭州西湖韜光寺，在一破室中見一僧人面壁入定，身穿破爛蒙塵僧衲，好像久已未出室外，再看清楚原來是三日前在上海洋場周旋於鶯鶯燕燕的蘇曼殊。

情僧的貪吃

蘇曼殊一生起居無常，貪吃趣事，層出不窮。在日本時曾連飲冰凍糖水五六斤，到晚上不支昏倒，氣若游絲，別人以為他已死，翌日醒後又再狂飲冰凍糖水。曼殊的日記和書信很多描述食物，最愛吃朱古力、酥糖、羊羹、八寶飯、山楂糖、糖砂炒栗子，糖果終日不離口，更常吸雪茄煙。沒有錢買糖果時，不是借貸，便是典當衣物，曾經將所鑲金牙易錢買糖吃，自號「糖僧」，更常戲説與茶花女有相同嗜好。民國元年（1912年），曼殊離香港赴上海，花一百塊洋銀買外國糖果，原想到上海送朋友作手信，在輪船上竟獨吃清光。在蘇州逛熱鬧，可以一個晚上吃光幾十包酥糖。一九一一年十二月，曼殊在爪哇夢見柳亞子送其金華火腿，嘉慶大頭菜，棗泥月餅和黃爐糟蛋，喜不自勝，夢醒又「萬緒悲涼，倍增歸思。」可見他發夢都是貪嘴。

蘇曼殊貪吃終應驗病從口入，曾兩度赴日本醫腸胃病。一九一四年在日本病中給朋友書信經常談吃，內容非常有趣，摘錄如下：

致邵元冲信：「食生薑炒雞三大碟，蝦仁麵一碗，蘋果五個，明天肚子洞泄（痾）否？一任天命耳。」

致柳亞子信：「此處有蓮子羹，八寶飯，惟往返須數小時，坐汽車又大不上算」「又想不能騎驢過蘇州觀前食樂芝齋粽子糖，思之猶歎！」

致徐思茹信：「月餅甚好！但分啖，譬如老虎食蚊子，先生豈欲釣人胃口耶？此來幸多拿七八隻。」

情僧的病況與臨終前後

曼殊生活長期郁積痛苦，影響身心健康，加上暴飲暴食，經常日吸雪茄煙二三十枝，年青時身體已出現很多毛病，包括腸胃病、痾疾、痔疾和腦神經痛。一九一五年至一九一六年，曾因肺炎，頭痛症和腸胃病入醫院治療；醫生雖嚴禁吸雪茄和吃壞胃食物，曼珠仍暗中吸食及往親友處大吃年糕。一九一七年夏天，蔣介石夫婦托革命元老陳果夫送去醫藥費，並邀請曼殊入住上海白爾路新民里十一號別墅；初秋時曼殊腸胃病復發，冬季病勢轉劇，痔疾大發，體温甚低，陳果夫送曼殊入海寧醫院。住院期間，曼殊曾去信陳獨秀和蔡元培，表示希望病癒後能獲公費赴義大利學美術。不久曼殊違禁偷吃糖栗子，病情轉危，仍有氣力指罵醫護人員不友善，醫生無奈，只有出示在其枕畔抄出之糖砂栗子四大包。一九一八年三月，友人將曼殊轉送廣慈醫院治理，曼殊去信柳亞子透露已不能起立，每日瀉六、七次，且十分思念親友，四月二十七日囑咐畫人高劍父致書南社社友黃晦聞謂自己將不起，五月二日下午四時病逝，最後一句遺言是：「但有念東島老母，一切有情，都無掛礙。」友人見其枕頭邊遺下一粒紙球，揭開後發現手寫「僧衣葬我」四字，所以曼殊是穿僧衣埋葬。多年後日本東京舉辦蘇曼殊遺物展，其中展出一件所謂陪葬僧衣，肯定是偽品。蘇曼殊後事由汪精衛主持。汪精衛亦是南社社友，當時正是孫中山先生得力助手，墓地闢在西湖南岸孤山腳，是曼殊在世時十分喜歡逛遊的地方。一九二四年六月八日，曼殊靈柩從上海啟運，翌日下葬時，忽然天昏地暗，恍惚天地都為短命情僧默哀。朋友在墓旁樹立一石頭墓塔，上面刻有南社社友諸貞壯撰寫塔銘。

蘇曼殊的知己劉三稱曼殊有三絕——才絕、畫絕和痴絕。辛亥革命前後，中國出現多位頗有才華僧人，譬如太虛、寄禪、弘一等，但都不及蘇曼殊的真摯可愛。有人以為曼殊是一奇行怪人，其實這種行為是一煙幕，目的是頑強表示對人心險詐的極端憤恨，他的詩與畫可以代表他一塵不染的心性。在短短三十五年的一生，他飄然獨來獨往，別有一種可愛神態。現今世代的人情和世情與情僧當年基本無大變化，是否涼薄與險惡？如人飲水，冷暖自知，徒令人更珍惜與懷念蘇曼殊的空靈飄逸和隨意率真。

《多倫多文藝季》

第二十一期（二〇〇三年一月）

第二十二期（二〇〇三年四月）

第二十四期（二〇〇三年十月）

蘇曼殊西裝照

漫談蘇曼殊的詩書畫

情僧的情詩賞析

蘇曼殊的天才最能表現於詩作，他有許多名句，傳誦後世。曼殊詩屬浪漫派，有悲涼氣氛，亦有悽美景物描繪，頗受義大利但丁、德國歌德、英國拜倫和雪萊的影響。筆者在本文多次提及曼殊力作《本事詩》十首，是二十六歲時住陳獨秀日本東京寓所清壽館時作品。陳獨秀曾依韻唱和，並將《本事詩》抄寄南社諸友如柳亞子、高天梅、蔡哲夫等，各人都有和作；但一經比較，曼殊作品顯勝一籌，主要是作者成功抒發出一股濃而真的感情，清新流麗而無煙火味。筆者試分析下列曼殊兩首代表作，原詩最初發表於一九〇六年六月十九日《民呼日報》。

過若松町有感示仲兄

（二首其中之一，一九〇九年作）

孤燈入夢記朦朧，風雨鄰庵夜半鐘。

我再來時人已去，涉江誰為采芙蓉。

筆者曾提及曼殊以披剃受戒為理由，推卻調箏人百助楓子以身相許的請求，曼殊仍對百助一直追憶不已。當他經過昔日百助在東京居所——若松町，頓生人去樓空，人面桃花的惆悵。整首詩一氣呵成，全無斧鑿痕迹，亦無艱深典故，容易記誦。前兩句有實物實景和時空描述。實物實景是室內燈枱和室外鄰庵；時空是夜半無人，似夢非夢，似醒非醒；陪伴的是孤零燈影和朦朧記憶，風雨聲與鐘聲縈迴起落。整個環境更襯托出詩人寂寥心境。「涉江誰為采芙蓉」一句，意謂有誰共鳴，同遊共樂；典故出自《古詩十九首》之「涉江采芙蓉，蘭澤多芳草，采之欲遺誰？所思在遠道。」「芙蓉」，亦名水芙蓉，即蓮花，有人誤以為睡蓮或木芙蓉。曼殊毫不掩飾引用前人詞藻，但襲用古典古語，卻又不露痕迹。

本事詩（第九首，一九〇九年作）

春雨樓頭尺八簫，何時歸看浙江潮？
芒鞋破缽無人識，踏過櫻花第幾橋？

本事詩是一種依據事實和情緣而發的詩歌。頭一句所謂「春雨」，並非指春季雨天，而是曲名〈春雨〉；「尺八」是日本簫，類似中國洞簫，相傳出自北宋時金人。日本僧人有專吹「尺八」簫行乞，〈春雨〉曲調非常陰森凄涼。全詩平實而真情畢露，描繪一個客居異邦僧人樓頭吹簫，在櫻花墜落的日子，心懷故國及懷念舊游。僧人漫無目的托缽徘徊在靜靜的街頭橋邊，是一個永遠寂寂的旅人。曼殊好友書法大師于右任認定這首詩是曼殊最好的詩作，其中有詩情畫意，情緻纏綿，盪氣迴腸，十分空靈，純是出自內心自然流露。

文學家豐子愷甚喜愛曼殊詩，寒齋藏有豐子愷書寫三首曼殊絕詩的扇面，其中一首即是上述《本事詩》。

漫談蘇曼殊畫藝

蘇曼殊繪畫亦是天才橫溢，曾自稱：「四歲伏地作獅子頻伸狀，栩栩如生。」他作畫並無師承，雖然受日本畫影響，仍是接近中國傳統筆墨技法；其創作滿有靈氣，意境獨特。國畫大師黃賓虹，早年與曼殊交遊，活到九十二歲，一生作畫逾十萬幅，曾懇切說：「曼殊遺下只數十幅畫，可惜早死，但就憑那幾十幅畫，已遠勝我一輩子所畫的畫。」嶺南派大師高劍父謂：「曼殊作畫都是送人的，喜用日本蘇紙與絹，從來不喜歡設色，風格極高逸。」

蘇曼殊送畫對象包括南社社友、知己、摯愛及風塵中人。曼殊與江南劉三最稱知己，曾為劉三作《白門秋柳圖》。某年劉三抱病，請上海名醫陸士諤診治。陸士諤不受診金，劉三病癒，將此畫送陸氏作酬謝，後來抗日戰爭時此畫在杭州兵荒馬亂中失去。曼殊為南社社員，南社諸子如黃晦聞、葉楚傖、高天梅、蔡哲夫等都獲曼殊贈畫，但各人先後逝世，遺畫都不知留落何處。前香港新亞書院圖書館館長沈燕謀，年青時與曼殊共事，曾獲贈數幅小品畫件，但後來去美國留學時，這些畫蹟不知去向，沈老晚年時仍深切惋惜失去的畫幅。收藏家陸丹林和鄭逸梅都各藏有一幅曼殊真蹟，珍如拱璧，不輕易示人，自從二人逝世後，藏畫又跟着失踪，非常可惜。

黃花岡之役策劃者趙聲為曼殊知己，二人友誼始於光緒三十一年（1905年），時曼殊在南京陸軍小學任教職，二人常一起飲酒啖板鴨，醉後馳馬尋樂，十分豪情。曼殊曾應允趙聲作《荒城飲馬圖》，但始終未及作成而作別，從此未有再見面。一九一一年黃花岡一役後，趙聲敗走香港，同年五月嘔血病逝。曼殊憶念故友，作《荒城飲馬圖》一幅，托人帶往香港，囑咐革命同志將畫焚化於趙聲墓前，可見曼殊重友情，守諾言。有一傳說謂香港革命黨員並未有焚化該畫，若此畫尚在人間，筆者誠心願意餓身百日兼傾囊收購。

名小說家包天笑晚年在《釧影樓回憶錄》（香港大華出版社，1971年）記述他早年與曼殊的一段翰墨緣。一九〇三年（光緒二十九年），曼殊在蘇州吳中公學社教英文，包天笑教中文。有一次，包天笑購得一空白扇面，曼殊拿去乘興畫一小童敲破一撲滿（即貯錢瓦罐，俗稱錢罌，滿則擊破），題曰「撲滿圖」，送與包天笑。當時是滿清時代，「撲滿」二字是相關語，具「滅清」之意，寫畫者隨時因反動罪而獲文字獄，此亦可見曼殊早有革命豪情。包天笑珍藏該扇面多年，可惜最後亦已遺失。

蘇曼殊每喜歡在清風明月夜繪畫，畫作成後，很多時會弄醒睡夢中同住好友，然後遞上贈畫，給人一個驚喜。若受畫者默然接受即可，如稍作無謂客套讚賞語，曼殊會立將畫作一撕為二，掉頭而去，可見其怪行。很多革命同志極希望得曼殊畫，葉楚傖每求不獲，心生一計，在酒店先闢一室，置有曼殊喜愛糖果及雪茄煙，又備有畫筆、宣紙及顏色，將曼殊引至室中，然後將門鎖上，聲明若非畫成一幅，不得離開，最後曼殊無奈繪《明月荒野圖》交卷；正當葉楚傖自鳴得意，曼殊倏忽在畫面明月與荒野樹梢胡亂橫加一長長黑綫，葉楚傖愕然，認為破壞畫意，曼殊即回答已將畫題改為「金鈎釣明月」，並戲稱非人人能欣賞其意境，可見曼殊之不羈與怪誕。

蘇曼殊一生沒有做過職業畫家，亦未賣過畫，從沒有訂下作畫潤格，只有一次，他在一九一一年六月從上海寫信給劉三，戲談送畫新例。信內云：「……比來女郎索畫過多，不得已定下新例：每畫一幅，須以本身小影酬勞，男子即一概謝絕。吾公得謂我狂乎？……」以女郎玉照交換自己畫作，的確是風流潤格，前所未有。曼殊摯愛百助楓子離別時，曼殊應百助請求，繪贈一幅畫，題為「金粉江山圖」，以寄托離情別緒，亦獲回贈一幀玉照。此外，根據曼殊與友人書信內容，得悉當時上海一些與曼殊有來往的風塵女子，如陳月華、周意雲、桐花館、謝寶玉、黛雲等都曾獲贈墨寶，可惜早已煙滅，現在坊間偶然出現所謂曼殊上人遺墨，索價驚人，多為偽作無疑。

《多倫多文藝季》
第二十三期（二〇〇三年七月）

寂寞的女作家——蕭紅在香港的腳蹤

我很喜歡詩人戴望舒（1905-1950）作於一九四四年十一月底以下的一首小詩，總覺得詩的內容十分吻合蕭紅的簡樸、踏實和純真的生活和性格。

蕭紅墓畔口占　戴望舒

走六小時寂寞的長途，
到你頭邊放一束紅山茶，
我等待着，長夜漫漫，
你卻臥聽着海濤閑話。

寂寞的蕭紅（1911-1942）

蕭紅原名張迺瑩，是三十年代著名左翼女作家，一九一一年生於黑龍江松花江畔的呼蘭縣，母親早逝，父親是一個頑固的封建家庭權威。蕭紅自少缺乏家庭

蕭紅攝於香港（1940年）

溫暖，形成倔強反叛性格。一九二七年在哈爾濱女子中學讀書，酷愛美術與文學，開始接觸新文學，頗受「五四」新文化影響。蕭紅二十歲離家獨立，很快便被愛情騙子欺負壓逼，後來不久與進步文藝青年蕭軍同居，生活非常困苦，飽嚐人間冷漠。為了逃避日寇戰禍，兩蕭於一九三四年到上海謀發展，與初認識的魯迅一家非常投契；一九三六年，蕭紅與蕭軍感情生變化，二人協議分居至少半年，其間蕭紅曾到日本，希望與親弟會面；可惜事與願違，其弟早已回國，在日本的蕭紅，嚐盡寂寞滋味。一九三七年「七七事變」後，蕭紅回國，輾轉在山西和重慶過了一年多稍為安定的生活，可惜兩蕭最終要分手。到蕭紅與小說作家端木蕻良發展成為愛侶的時候，整個神州大地已經捲入滔天戰火的抗日大時代，蕭紅又要過着逃亡生涯。

如果蕭紅今天仍健在，已逾九十歲。蕭紅享年三十一，她的一生如此短促！中國新文學女作家中，像冰心、丁玲、謝冰瑩，她們都成名較早，得享高壽，一生創作，作品多而流傳廣。蕭紅是後起之秀，生於憂患，英年早逝，作品流傳因而受一定限制，無可置疑。蕭紅是一名才女，天份極高，魯迅曾讚她比誰都更有前途。蕭紅亦笑說自己像《紅樓夢》裏的傻丫頭，但不是傻大姐，而是像《紅樓夢》裏香菱學詩，在夢裏做詩，也在夢裏寫文章。我以為蕭紅的際遇頗似徐志摩，都是難得一見的才女才子。他們都像一顆流星，轉瞬即逝，但在暗淡的夜空閃爍出耀眼光芒。現在讓我們看看蕭紅這顆光芒萬丈的流星最後兩年在香港的軌迹。

尖沙咀樂道八號（一九四〇年一月）

一九四〇年一月，蕭紅隨端木蕻良乘飛機從重慶抵達香港，住進九龍尖沙咀樂道八號（孫寒冰主辦大時代書店所在地）。至於二人為什麼忽然遠到一個他們毫不熟識的地方，甚至可說是言語不通的地方，就是連最認識蕭紅的魯迅夫人（許廣平）也無法理解，個中種種原因，到今天仍是一個謎團，奈人尋味。他們到香港後，每天除了操持家務及參加無可避免的約會外，二人大部分時間用於寫作，過着一種幾乎與外界隔絕的生活。該年二月五日，中華全國文藝界協會香港分會假永安公司大東酒店歡迎蕭紅與端木蕻良，有四十多人出席。

蕭紅初期在香港，人地生疏，感覺非常寂寞，曾多次去信國內朋友表示會離港返國，該年六月二十四日，她給好友沈西園的信提到：

香港的朋友不多，生活又貴……我來到了香港，身體不大好，不知為什麼，寫幾天文章，就要病幾天，大概是自己體內的精神不對……。

蕭紅給好友白朗的信內又說：

不知為什麼，莉，我的心情永久是如此的抑鬱，這裏一切景物都是多麼恬靜和幽美……。這一切，不都正是我往日所夢想的寫作的佳境嗎？然而啊！如今我卻只感到寂寞！在這裏，我沒有交往，因為沒有推心置腹的朋友，因此……我將盡可能在冬天回去。

可是，蕭紅沒有在冬天回國，永遠也沒有回去。在寂寞的日子裏，她曾鼓勵在港的茅盾夫婦與她一同往星加坡發展，茅盾因為工作關係不能也不想離開香港，蕭紅終因未能找到可靠同伴而未能成行。當時郁達夫正在星加坡《星洲日報》編副刊，如果蕭紅和端木蕻良真的去了星加坡，他們三人在南洋必會有機會合作，而三人的命運亦會改寫。

當年蕭紅同鄉周鯨文（東北抗日救亡總會會長）在香港辦《時代批評》，端木蕻良和蕭紅都在《時代批評》上發表文藝作品。首先是端木蕻良的《科爾沁旗前史》，接着是蕭紅的《馬伯樂》長篇小說分期在這半月刊上發表，總共十五期。該年六月，《時代文學》創刊，由端木蕻良與周鯨文主編，實際上都是端木蕻良負責，在《時代文學》上，蕭紅發表了《小城三月》中篇小說，在《星島日報》「星座」副刊發表連載著名長篇小說《呼蘭河傳》，這部極優秀作品後來一九四一年由桂林河山出版社出版，一九四七年上海寰星書店再版。

嘉路連山孔聖堂（一九四〇年八月）

一九四〇年八月三日，香港各大文化團體在加路連山孔聖堂舉行魯迅六十誕辰紀念會。那天下午，外邊大風大雨，但阻不住參加者的熱誠，有三百多人赴會，大會舞台中央懸掛了「中國漫畫家協會香港分會」會員繪畫的大幅魯迅側面像，主席許地山（香港大學中文系主任）致開會辭，很少露面的蕭紅報告魯迅傳略，跟着是張一麐的演講，徐遲的朗誦和長虹歌詠團的紀念合唱，每字每句每個音符都抓着了聽眾的注意力。當晚還演出蕭紅的創作，香港文協改編的啞劇《民族魂魯迅》。

早在一九三四年，魯迅除了在生活上幫助蕭紅、蕭軍立足上海，並積極為他們開闢文學創作基地，給他們向刊物出版機構推薦作品，使他們的作品得以在上海的刊物上發表，生活得到保障。魯迅十分欣賞蕭紅的處女作《生死場》——一個以淪陷後的東北農村為背景，描寫不願做奴隸的人們奮起反抗的小說，魯迅樂意為她出版《生死場》，為她親自校訂和作序，收入「奴隸叢書」。

魯迅逝世後三年，即一九三九年，蕭紅用深情寫成二萬多字的〈回憶魯迅先生〉一文，用明麗清新、細膩親切的筆觸，塑造出一個真實的充滿人情味的、活生生的魯迅形象，蕭紅在文內閒話家常的以平常心向人細訴一位平易近人的長者。她不是從仰視一位文壇巨人的角度去描述，而是從簡樸的生活情節，緩緩的帶出魯迅的風範，散發出動人的傾訴，的確是眾多紀念魯迅文章的表表者。

香港瑪麗醫院四樓（一九四一年十一月）

一九四一年四月美國進步女作家史沫特萊回國途中經過香港，曾往九龍樂道八號探望蕭紅。當時蕭紅正患痔瘡、失眠和咳嗽。史沫特萊寫信介紹蕭紅到瑪麗醫院診治。檢查報告謂蕭紅患肺病，但肺部患處已經鈣化，並沒有太嚴重後患。醫生建議用針療法吹破鈣化面，然後進行徹底藥物治療。到醫院三次後，端木蕻良和蕭紅同意醫生的主張。在未治理前，蕭紅雖然身體較弱，但還是行動自如，並照常寫作。不幸經過針療後，蕭紅身體變差，病情轉壞，行動不便，咳嗽加劇，逼於入住瑪麗院四樓臨海病房，這時已是十一月中旬。香港政府早已低調進行撤僑行動，勒令英國籍婦孺離港，以策安全。日本亦正秘密把在香港日僑分組，便於疏散。加拿大皇家來福槍營和溫尼伯榴彈手營二千餘軍人乘兵艦剛抵香港增防，一時戰雲密佈，謠言四起。

由於蕭紅看不慣瑪麗醫院醫護人員的冷漠面孔，不顧端木蕻良勸告，住院不足兩星期，便逕自由于毅夫（東北抗日救亡總會副會長）接她出院，回到九龍樂道住處。周鯨文知道蕭紅意氣用事，急忙到樂道探望她，只見她雙臉瘦削，精疲力竭，於是力勸她重回醫院就醫，並當面交港幣二百元給端木蕻良以作急需。可惜蕭紅並未有返醫院醫治。蕭紅的棋差一着破滅了她轉危為安的一綫希望。這時正是十一月下旬，日本襲擊香港只是時間問題。表面上仍然昇平的香港，實則形勢非常緊張，日常都有防空演習，戲院正放影電影時亦會突然加插字幕催促軍人歸回營房候命，一時山雨欲來，戰事一觸即發，事實上距離日軍第一顆炸彈丟下九龍啟德機場不足十天。

由嘉路連山到思豪酒店（一九四一年十二月八日）

一九四一年十二月七日，日本偷襲珍珠港，太平洋戰爭爆發；同日（香港十二月八日）上午八時，日機三十六架首先轟炸九龍啟德機場，全港即時陷入戰爭恐怖狀態。十二月十二日，日軍長驅直入九龍，英軍愴惶撤回港島，九龍頓變為無法無天世界，「勝利友」目無法紀，日本第五縱隊分發的太陽旗，插遍九龍街巷。九龍無數難民冒着炮火湧向港島逃難。十二月十七日下午，端木蕻良和于毅夫抬着正患重病的蕭紅由尖沙咀樂道冒險渡海到嘉路連山周鯨文住所暫避，地點大概是保良局對面附近；由於周鯨文家早已有眾多親友遷來避亂，加上蕭紅患有傳染性嚴重肺病，最後大家商量後決定把蕭紅送往中環雪廠街思豪酒店，由端木蕻良料理照顧。據説周鯨文曾給以港幣五百元作緊急接濟。當時日軍已選定搶攻港島東北部，以兵力八千餘人分三路進攻鯉魚門、筲箕灣、太古船塢一帶。當夜，北角油庫中彈大火，港島淪陷只是時間問題。

中環士丹利街（一九四一年十二月二十二日）

在中環思豪酒店只往了四、五天，蕭紅由端木蕻良在兵荒馬亂的環境下送到附近士丹利街周鯨文租作「時代書店」的書庫（大概是今日鑽石酒家附近），地方比較安全和經濟。這時，日軍已蜂湧登陸港島。十二月二十五日聖誕節晨，九龍日軍隔海通過強力播音系統發出最後警告，威脅謂如果二十四小時內拒絕投降，整個香港將會玉石俱焚。傍晚時，港督楊慕琦親自到尖沙咀半島酒店向日軍總司令無條件投降。當日下午，周鯨文仍見蕭紅捲伏沉睡在「時代書店」書庫一角的一張小牀上，顯然病況非常沉重。在這段日子，蕭紅一日數驚，根據名學者柳亞子的回憶，蕭紅每聽見警報聲或飛機聲便面色大變和心驚膽顫。

養和醫院、瑪麗醫院及聖士提反女中臨時醫院（一九四二年一月）

蕭紅最後的日子裏，另外一位東北作家駱賓基闖入她的生活。蕭紅、端木蕻良和駱賓基的三角關係非常錯縱複雜，我無意在本文詳述。不過，蕭紅生命最後四十天的確經常與駱賓基一起，而後來駱賓基寫的《蕭紅小傳》內容，亦多根據這四十天蕭紅的憶述資料寫成。

一九四二年一月十日，香港淪陷剛超過兩個星期，駱賓基將蕭紅送入跑馬地養和醫院。一月十三日，由於某外科醫生誤診為喉癌，繼而錯動手術，使蕭紅病情更惡化，後來愛護蕭紅者，包括很多讀者，將蕭紅之死歸咎這名西醫，更怒斥其為「庸醫」。戰後此醫生在香港頗具名聲，現已去世，其妻子及後人仍在香港，故不便揭露其姓名。一月十八日，蕭紅再一次被轉送到瑪麗醫院，駐院醫生確診為惡性氣管擴張而非喉癌，第二次動手術換喉頭呼吸管子。可惜傷口遲遲未能封口，蕭紅受盡痛苦，更無法用言語表達。這時，香港糧食嚴重短缺，街上飢民搶掠，奪得食物後即時塞入口中；市面上全無狗隻，幾乎所有的狗都被宰殺佐膳。米價由一角餘一斤，暴升至二元一斤，高達十多二十倍。

一月二十日，瑪麗醫院被日軍改為日本陸軍戰地醫院，蕭紅被轉送到般含道附近聖士提反女子中學的紅十字會臨時醫院。在短短十一天內，蕭紅輾轉遷移三間醫院，受盡戰爭恐怖刺激，顛沛流離與惡疾折磨。到紅十字會臨時醫院第三天（一月二十二日）早上六時，蕭紅已呈昏迷，上午約十時半不幸與世長辭，結束她流浪與掙扎的一生；她至死的一天也是寂寞的。

淺水灣畔與聖士提反女子中學小園（一九四二年一月底）

一月二十四日，端木蕻良和駱賓基匆匆安排蕭紅遺體在跑馬地背後的日本火葬場火化。端木蕻良把蕭紅的骨灰分為兩半，一半葬在淺水灣畔地近麗都花園海邊的一棵大鳳凰樹下，寂寞灘頭的蕭紅墓周圍是一圈子白麻石，中間立着一個寫着「蕭紅之墓」的一尺多長木牌。名作家葉靈鳳一九四二年曾訪此墓並攝得照片。端木蕻良又把另外一半蕭紅骨灰藏在一個花瓶裏，埋在屋蘭士里聖士提反女子中學（當日紅十字會臨時醫院地址）小花園一棵大樹下，並無任何標記。究竟那一棵樹是否仍然存在，沒有人知道。

歸國（一九五七年八月三日）

一九五七年初，香港作家陳凡在《人民日報》發表一篇介紹香港淺水灣蕭紅墓落寞的報導，引起國內外文化界極大關注。該年七月初，蕭紅墓所在地的承租人香港大酒店決定在那裏建一兒童游泳池，蕭紅墓如何處置問題，刻不容緩。香港中英學會採取緊急行動，作家葉靈鳳以「友好」資格，向香港市政局申請遷葬蕭紅墓，國內端木蕻良及廣州作家協會亦來信表示關注整件事，並希望蕭紅的骸骨或骨灰能盡速送回廣州。七月二十二日，葉靈鳳及陳君葆會同五名市政局工人，根據一九四二年葉靈鳳所攝的蕭紅墓照片，由清晨開始發掘，直到下午三時左右，發現一個直徑七、八英吋圓形黑釉瓦罐，內藏蕭紅部份骨灰及小塊像是未燒化的牙牀骨。

一九五七年八月三日上午十時，香港文化界在九龍紅磡永別亭舉行簡單蕭紅送別會，參加者有馬鑑、葉靈鳳、陳君葆、曹聚仁、陳凡等數十人，即日由代表護送蕭紅部份骨灰回祖國；廣州作家協會派代表黃谷柳、陳蘆荻等在深圳火車站橋頭恭迎。兩天後，廣州文化界舉行隆重悼念蕭紅儀式，參加者有端木蕻良、歐陽山、黃新波、陳殘雲、秦牧等數十人。蕭紅部份骨灰重新安葬廣州東部的銀河公墓。名詩人陳蘆荻賦七言律詩紀念，該詩最後兩句云：

此日橋頭迎歸骨，
故園花放待蕭紅。

結語

蕭紅是不甘早死的，最後在醫院病牀上，她還計劃着要寫多個短篇小說，有的連題目亦已擬好了，其中有「還鄉人」、「採蓮船」、「珠子姐」等；她還計劃寫長篇小說，包括《晚鐘》，是描寫哈爾濱女學生抗爭生活，還有《坭河》，是描寫北大荒開荒的生活。蕭紅若不是英年早逝，她日後的文學成就說不定會超越另一位左翼女作家丁玲，毋怪乎蕭紅臨終時草草寫數句的遺囑最後二句云：「……身先死，不甘，不甘。」

蕭紅留下來的著作都放出異彩，讀者如有興趣閱讀或重讀她的作品，我誠意推薦她一九三五年寫的中篇小說《生死場》，一九三九年用全部心血寫的散文〈回憶魯迅先生〉及分別一九四〇年和一九四一年在香港寫的長篇小說《呼蘭河傳》及中篇小說《小城三月》。作品內容都充滿諷刺、幽默、鄉土、關懷和美感；初讀時令人心情輕鬆，但再閱讀下去心頭一點一點沉重起來。讀者會發覺她的作品都流露濃郁的鄉土情感，散發強烈的愛國熱忱和擁有一副又一副的菩薩心腸。當千禧年秋後似乎很多人忽然沉醉於閱讀充滿深而廣的世界觀大作時，讓我們重拾欣賞寂寞蕭紅的作品，我相信大家亦會同意她滿有感情的作品，件件都是歷久常新的中華衣冠，而絕非一件又一件迷濛的「皇帝的新衣」。每當我回首淺水灣的藍天碧海和聖士提反女子中學那幽幽小園，不禁為中國曾擁有蕭紅這樣的優秀作家而自豪，繼而自我安慰的說：「蕭紅也不再寂寞了」。

《多倫多文藝季》
第十二期（二〇〇〇年十月）
第十三期（二〇〇一年一月）

巴金《家》、《春》、《秋》

前言

如果你見證《家》、《春》、《秋》初版面世，你應該年逾七十五歲；如果你經歷《家》、《春》、《秋》三部電影在香港的首映，你應該年逾五十五歲。最近重讀巴金這套名著，剛巧從電視重看「中聯電影企業有限公司」（簡稱「中聯」）出品《家》、《春》、《秋》這三套電影，誘發筆者寫這篇漫談，目的在明白指出《家》、《春》、《秋》絕非「老套」的代名詞，並介紹五十年代「中聯」攝製此名著光輝的一頁，當年主演的十多位明星，究竟有那幾位仍然在世？

良心的作家——巴金

當我二〇〇五年寫這篇小文時，生於一九〇四年十一月二十五日的巴金，已接近一百零一歲高齡，同代的中國作家如冰心、謝冰瑩、蕭軍、茅盾等都先後比他早去，他靜靜的躺臥在上海華東醫院病牀上，仍奮力與柏金遜症和其他老人病搏鬥。巴金原名李堯堂，字芾甘，生於四川成都，少年時代離家鄉到南京入讀東南大學附中。一九二七年赴法國留學，思想傾向無政

年青時的巴金

府主義，取俄國無政府主義大師巴枯寧和克魯泡特金二人名字中譯首尾兩字作為筆名。歸國後，在《小說月報》發表長篇小說《滅亡》，他的大量作品教育了幾代青年，他的小說《家》、《春》、《秋》、《憩園》、《寒夜》等一直受海內外讀者的喜愛。

巴金在「文化大革命」十年中，經歷很大衝擊，他的妻子蕭珊直接遭害。一九六八年上海北火車站有一位女青年在候車室裏出神的看書，有旅客發現她正看的正是毒草小說《家》，就說服她把書當場燒毀，同時大家一起批判此書。在「文化大革命」期間，《家》、《春》、《秋》多次被提出批鬥，甚至他在一九三五年開始思考的小說《群》遲遲未現世亦成一罪狀，連「巴金」這筆名更成為罪證。攻擊巴金最凶猛的是巴金好友姚蓬子的兒子姚文元（四人幫其中一員）；姚文元專研究巴金小說，早於五十年代有作品〈論巴金小說《家》在歷史上的積極作用和它的消極作用〉（見《中國青年》一九五八年二十二期）。

巴金晚年的力作《隨想錄》，贏得了廣大讀者的敬重，他的創作從未脫離人民或時代；他的思考始終是關懷祖國的前途和民族的命運，他執着認定文學目的是掃除心靈的垃圾，帶來希望、勇氣、力量與光明。他晚年總結六十多年的文學創作時說：「我不曾玩弄人生，不曾裝飾人生，也不曾美化人生，我是在作品中生活，在作品中奮鬥。」

《家》、《春》、《秋》——《激流三部曲》

當《家》在上海《時報》（一九三一年）發表的時候，就是用《激流》這個名，後由開明書店出版（一九三三年）。《春》和《秋》分別於戰時由開明書店出版（一九三八年，一九四〇年），那時整個中國已陷入中日戰火。原本作為《激流》的第一部《家》，另外還有第二部《群》，寫當時社會及主角之一高覺慧到上海以後的活動，到一九三五年九月才寫了三、四張稿紙，一直到新中國成立後，巴金多次的創作計劃是包括寫《群三部曲》，但始終未寫成，巴金亦認為是幸事，否則必成為「文化大革命」批鬥他的另一大罪狀。

《家》、《春》、《秋》故事內容一氣呵成，總稱《激流三部曲》，描寫「五四」運動後中國青年在專制封建家庭的生活、痛苦和掙扎。巴金本身就是在這樣的大家庭長大，小說中人物大都是他愛過或者恨過的，書中不少情節和場面亦是他親身經歷過的，特別是童年和少年時代。巴金是用眼淚和心血完成《激流三部曲》，一九四〇年四月在寫《秋》結局前，他給一位朋友的信說：「我昨晚寫《秋》寫哭了……，這本書把我苦夠了，我至少會因此少活一兩歲。」為着寫《秋》的結局，巴金內心有很大掙扎；由於對現實生活及時局失望，原本給《秋》預定一個灰色的結局，即是以主角高覺新的自殺和高覺民被捕作收場。最後決定讓覺新活下去，又讓覺民和琴表妹成眷屬；雖然整個故事震撼力減弱了，但我讚賞充滿陽光的結局。

《家》的全稿，早在上海《時報》報館丟失，只有三頁增補的手稿保留下來；五十年代巴金把它們連同《春》和《秋》的全部手稿贈送北京圖書館。「文化大革命」時，這批珍費手稿因為藏於特別受保護單位而得保存。一九八七年筆者獲邀請參加北京新建的國家圖書館開幕典禮，我刻意申請觀看這些手稿，發覺每一頁原稿都經作者多番修改，可見巴金的極度嚴肅和嚴格的態度完成此巨著，有幸能目睹正面影響千千萬萬青年人的小說手稿，心情異常激動。

《家》、《春》、《秋》人物

巴金在這部作品中描寫有名有姓人物七十多人，主要人物有二十多個。為方便讀者重温這套小説，我試將他們分為正面和負面人物；同時為增加趣味性，我更將五十年代「中聯」出品《家》、《春》、《秋》的演出者，附以括號作為識別。

正面人物

高覺新（吳楚帆）：林家大少爺，悲劇性人物，先後心儀梅表姐、蕙表妹與婢女翠環。

高覺民（張活游）：林家二少爺，進步青年，與琴表妹談戀愛。

高覺慧（張瑛）：林家三少爺，有為青年，敢作敢為。

瑞珏（黃曼梨）：在封建制度下與覺新成親，二人毫無感情，後瑞珏難產死。

梅表姐（小燕飛）：覺新姨母之女，與覺新曾有一段情，無結果，出嫁後不久守寡，後屈屈病死。

蕙表妹（白燕）：覺新舅父之女，與覺新青梅竹馬，為父逼嫁與一無賴，受盡婆家氣病死。

琴表妹（容小意）：覺民戀人，是高家希望的火花，驅除黑暗。

鳴鳳（紫羅蓮）：高家婢女，與覺慧相戀，被逼嫁高家好友作妾前夕跳塘死。

婉兒（梅綺）：高家婢女，被逼替鳴鳳嫁與高家好友，醜惡偽君子馮樂山為妾，後遭虐待致瘋。

翠環（紅線女）：高家婢女，敢愛敢恨，勇抗覺新五叔之魔掌，後與覺新成親。

枚表弟（林家聲）：蕙表妹之弟，性格懦弱，為父包辦娶一有錢醜女，後病死。

周氏（李月清）：覺新母，為人善良，性格薄弱。
高家外祖母（黎灼灼）：蕙表妹、枚表弟之祖母，即覺新外婆，為人正直。
老僕人（檸檬）：高家忠僕。
綺霞（李雁）：高家婢女，性格較弱。
春蘭（南紅）：高家婢女，性格善良，富同情心。

負面人物

高老太爺（盧敦）：覺民祖父，高家最高權威，集頑固、愚妄、虛偽與腐化於一身。
陳姨太（林妹妹）：高老太爺年輕姨太太，即覺新細嫲，為人自私、貪心，好煽風點火。
高三老爺（石堅）：覺新三叔，為人頑固不靈。
高四老爺（黃楚山）：覺新四叔，頑固而欺善怕惡。
高五老爺（周志誠）：覺新五叔，奸狡而好色。
周伯濤（李鵬飛）：蕙表妹及枚表弟之父，即覺新舅父，為人頑固，好巴結富貴人家。
鄭國光（吳回）：蕙表妹之丈夫，游手好閒，粗鄙無賴，經常虐待蕙表妹。
道士（巢非非）：神棍。

《家》、《春》、《秋》的確有曹雪芹《紅樓夢》的影子，特別是多幕死別情況，前者富時代感，比較直接而現實，後者文學藝術性更高，而故事發展較空靈。雖然巴金多次否認是寫自己家庭歷史，但裏面有他認識的人物。總括來説，《家》、《春》、《秋》是寫一般封建家庭歷史與結構：長一輩是前清官員，豐衣足食，下一輩靠父蔭過驕奢閒懶生活，年輕一代想衝出這「象牙的監牢」，用自己雙手建立新的生活。當現在很多人不甘落後而熱衷投情、甚至迷情於劇集《大長今》和《金枝慾孽》的魅力，大家不妨重讀《家》、《春》、《秋》，看看是否同意魯迅所說：「巴金是屈指可數的好作家之列的作家」。

《多倫多文藝季》
第三十一期（二〇〇五年十月）

《春》劇照（1953 年）高覺新（吳楚帆）與蕙表妹（白燕）

漫談巴金《家》、《春》、《秋》與中聯明星

二〇〇五年十月十七日夜，巴金悄然在上海華東醫院逝世。巴金是屬於世界的，什麼尊稱如「人民作家」、「文壇巨人」、「燈塔耀行者」等都是不足的稱謂。十月二十四日，北京「現代文學館」舉行巴金追悼會；十一月二十五日是他的生日，家人遵照其遺願舉行巴金和夫人蕭珊的骨灰拋撒近長江口東海，陪伴的是無數玫瑰花瓣，十一月二十二日，香港大學及香港電影資料館合辦研討會：「『中聯』改編下的巴金小說《家》、《春》、《秋》」。

《家》、《春》、《秋》裏巴金現實人物

在《激流三部曲》之《家》、《春》、《秋》，巴金肯定了生活不是一個悲劇，而是一個「搏鬥」，內裏有愛、恨、歡樂和痛苦，交織協奏成生活的動蕩激流；他強調青春是美麗的。這部巨著感染力強，很多年後仍有讀者關心小說中人物的命運，更有人去信巴金要求與小說中人物通信。

巴金在不同場合及一些著作裏，提到《家》、《春》、《秋》的人物是中國舊家庭的典型成員，強調小說裏有兩個真實人物，但沒有揭出謎底。有一次巴金與好友作家黃裳（1919-2012）説那兩個真實人物就是他的大哥（小説人物高覺新）和他的祖父（小説人物高老太爺）。我試翻查巴金的家庭背景，發覺小說裏面的重要人物多少都有巴金親友的影子，待我一一道來。為增加興趣與識別，我將「中聯」攝製《家》、《春》、

《秋》演出者飾演的角色，附以括號。

高老太爺（盧敦飾演）

高老太爺代表封建家庭的統治者，以舊禮教作為他統治的理論根據，他的言行就是權威。巴金的祖父亦是一位舊社會家庭的控制者，三代同堂。他辛苦經營這個家業，後來又親手親手毀滅這個家業，與高老太爺同走一條路，最恐怖是甚至他死後，他的權威幽靈在家中仍揮之不去。巴金每記憶起他祖父大發雷霆的惡相時猶有餘怖。

高覺新（吳楚帆飾演）

一九三一年四月十八日，《家》在上海《時報》開始按日發表。發表後第三天，巴金突然收到三十多歲大哥服毒自殺死的電報。巴金大哥性情恍如巴金筆下高覺新的模樣，為人懦弱，性格傾向「作揖主義」和「不抵抗主義」，充滿了順從、消沉和悲哀的狀態。他年青時曾愛上一個少女，但他父親決定他另娶一女子，他溫馴的接受別人擺佈；他祖父死後，他待產妻子因族人迷信而被送到城外茅舍生產，情形頗似《家》覺新妻瑞珏（黃曼梨飾演），但未有像瑞珏在柴房難產慘死。

梅表姐（小燕飛飾演）

巴金的確有一位姑表曾跟他大哥有感情，時常來家裏玩，各人都喜歡她，巴金平輩們亦希望她成為大嫂。後來巴金的姑媽不願意「親上加親」，導致這段姻緣告吹。四、五年後，那姑表做了富家的填房少奶奶，生了一大群兒女。一九四〇年巴金回鄉再見她時已變成一個愛錢如命的胖婦。

鳴鳳（紫羅蓮飾演）

《家》的鳴鳳是高家一婢女，與三少爺覺慧（張瑛飾演）生感情，因被逼嫁與高家世交馮樂山老爺為妾而投塘自盡。巴金家庭有一丫頭名翠鳳，有一遠房親戚欲強討她為姨太太，她嚴辭拒絕。翠鳳叔父蘇升是巴金家老僕，翠鳳是一「寄飯」婢女，來去可自如，後來嫁一貧農，生活可算安定。

蕙表妹（白燕飾演）

《春》裏的蕙表妹與覺新有一段情，後被父親逼嫁一不務正業無賴，受盡家婆與丈夫氣而病死。巴金的三家姐二十多歲出嫁情形頗似蕙表妹出嫁當日的號哭，上花轎時掙扎得很厲害，終於被人捉到一陌生人家做填房，看見的人都心酸。後來巴金三姐受公婆折磨一年後寂寞的死在醫院裏，巴金三姐夫把她的靈柩拋在尼姑庵裏，自己卻忙於做第三任新郎，巴金大哥最後出錢埋葬了三姐。

琴表妹（容小意飾演）

在《家》、《春》、《秋》裏，琴表妹是希望的火花，與覺民（張活游飾演）終成眷屬。巴金家庭亦有這個影子出現在封建的暗夜，就是他的堂姐。她與巴金三哥要好，讀了不少進步書刊。後來不知什麼原故她母親與巴金繼母鬧翻後搬出了巴金家，住在同一條街，多年守在家裏，連一個陌生男人也沒法看到，結果是永遠關在一個狹窄的鳥籠。一九四二年巴金回成都見她時已經是「弱骨支離」的老太婆了。《家》的梅表姐曾說：「往事依稀渾似夢，都隨風雨到心頭」，原來是巴金這位堂姐如泣如訴的詩作。

高覺慧(張瑛飾演)

很多讀者認定覺慧就是巴金自己的寫照,但巴金多次否認,結果反倒是「欲蓋彌彰」,巴金承認只偶然把個人經歷加進小説,使小説更真實。《家》的覺慧與婢女鳴鳳(紫羅蓮飾演)生感情,但後者是一虛構悲劇人物。小説中覺慧做過巴金青年做過的事,包括廣交進步朋友,編輯刊物,辦閱報處等。覺慧有兩個哥哥,巴金也有兩個哥哥,彼此的兩個哥哥性格差不多,巴金亦同樣懷着覺慧的那種心情離開家庭,難怪讀者多肯定覺慧就是巴金自己。

翠環(紅線女飾演)

《秋》裏的翠環算是一虛構正面人物,性格堅強而不妥協,力抗高家五老爺(周志誠飾演)逼婚,後來與覺新成眷屬。巴金的二嬸有一陪嫁丫頭,名叫愛翠環,身材矮小。「中聯」出品《秋》,由紅線女飾演翠環,演技動人。一九五六年,《秋》在巴金的四川故鄉放映後,有觀眾竟問巴金的姪女(大哥的女兒)是否翠環所生,更有人問巴金的寡嫂:「你究竟是不是翠環?」,可見《秋》感動人之深。

香港出版的《新文學大系續編》小説二集的編者説,「《春》和《秋》這兩部續作……,反而造成《家》的累贅……,作品中的許多人物,故事是作者根據過去生活的一些記憶和一些偶然的見聞拼湊起來的,是虛構的」,我不能同意這論調,尤其是「累贅」和「拼湊」這兩個評語,是不盡不實的。巴金對上述評語相當不滿,但他不想幫自己辯護,因為辯護也沒有用,而歷史是無情的。

在上世紀六十年代「文化大革命」時,巴金作品被視為大毒草,有一天,上海北站一位女青年,在候車室全神閱讀《家》，附近等車的旅客當場搶奪該書，並即時燒毀，這自保心態是可悲的。巴金寫《激流三部曲》，用了他大哥給他的來信作為寫作資料，計有一百多封，到「文化大革命」時，巴金囑咐他妹妹燒毀了那批信，以免妄加罪名，這避禍行動亦是可悲的。儘管在黑白是非顛倒的「文化大革命」時代，巴金在極陰暗環境下徹底否定了自己的作品，包括《家》、《春》、《秋》，儘管巴金那時低頭承認造反派所說《家》是他替地主階級少爺小姐「樹碑立傳」的小說，但畢竟巴金是耗去他最寶貴的十年（一九三一至一九四〇年）和心血寫成此巨著。因此，當我重看巴金《激流三部曲》及「中聯」改編製作的電影《家》、《春》、《秋》，我不禁完全同意及明白巴金晚年的心底話：

「我寫《激流》，並沒有浪費自己的時間，也沒有浪費讀者的時間，它們並不是寫了等於沒有寫的作品。」

筆者最近看過數齣在國際頗賣座港產片，由於認識不深，不便妄談，但不禁懷念五十多年前香港「中聯電影企業有限公司」（中聯）的製作，緬懷那昨夜星光。

「中聯」的成立

一九四五年八月日本無條件投降，四十年代香港光復期（1945-1949），共製作四百二十部粵語片。第一部是吳楚帆和白燕主演的《郎歸晚》，一九四七年公映，內容描述日本侵略帶來莫大家庭不幸，引起親歷戰亂觀眾共鳴。這時期粵語片影響最大是「寫實電影」，包括經典作品《珠江淚》、《幾家歡笑幾家愁》、《復員淚》等。

一九四九年，香港製作粵語片第一次超過一百五十部，其中頗多粗製濫造，有所謂「七日鮮」，有識之士紛紛加以嚴評。同年，吳楚帆等一班電影工作者發起「電影清潔運動」，後來「中聯」的成立與這次運動有關。一九五二年「中聯」成立，創辦人是吳楚帆、白燕、黃曼梨、吳回等股東二十一人，包括紅線女、馬師曾、張活游、張瑛、容小意、紫羅蓮、李清、梅綺、李晨風等，在五十年代共攝製三十三部粵語片；文藝片有《家》、《春》、《秋》、《紫薇園的秋天》、《天長地久》等；寫實片有《危樓春曉》、《我要活下去》等；倫理片有《父母心》、《兒女債》、《人倫》等。一九五五年，《中聯畫報》電影雜誌出版，「中聯」開創粵語片新潮流，製作內容是思想、藝術及娛樂並重。

《家》、《春》、《秋》的幕後人物

「中聯」《家》、《春》、《秋》分別由吳回（1913-1999）、李晨風（1905-1985）及秦劍（1926-1969）導演。《家》和《春》在一九五三年公映，《秋》是一九五四年公映；《春》更獲得一九五七年中國文化部頒授榮譽獎。上述三位名導演已離世。吳回畢業「廣東戲劇研究所」，一生執導二百餘部電影。一九九四年「香港電影金像獎會」頒給他終身成就獎。李晨風亦畢業「廣東戲劇研究所」，曾任「中聯」董事長，秦劍畢業仿林中學，才華畢露，曾創辦「光藝影片公司」，培養不少優秀電影人材，如楚原、龍剛、謝賢、南紅等，可惜與女星林翠離婚後自殺，為電影界一大損失。

筆者重看《家》電影，赫然發現片頭記錄負責化裝者馬燦，此人亦名馬廣燦，涉嫌一九六〇年代香港富商黃錫彬、黃應求父子「三狼標參撕票案」，轟動一時。到七十年代，麗的映聲播映「十大奇案」，其中一

「中聯」二十一名股東。前排左一李晨風、左三秦劍、左五吳回。

部就是「三狼奇案」，由當年《家》男主角張瑛主演，亦屬一巧合。

《家》、《春》、《秋》的幕前人物

「中聯」眾星演出《家》、《春》、《秋》有十多位，其中吳楚帆（1919-1993）、張活游（1910-1985）、張瑛（1919-1986）、白燕（1920-1987）、盧敦、紅線女、梅綺、黃曼梨、容小意、周志誠、黃楚山、李月清、黎灼灼、檸檬、伍雅儀、李鵬飛、林妹妹、巢非非都已離世。吳楚帆曾獲選為中國五位最優秀演員之一，有「華南影帝」之稱；名甘草演員高魯泉是他的大哥，這是我小學同學——高魯泉的兒子告訴我的，張瑛因演《人海淚痕》獲「華南影帝」稱號，有「千面小生」之稱，張活游從影前是粵劇名伶，一九七六年兼任電視藝員，曾主演《二叔》等名劇集。容小意早逝，她丈夫李清亦是「中聯」著名性格演員，後移民加拿大。筆者特意於一九九八年春天在多倫多一護老院訪問他，那時他已患老人癡呆症，全無當年雄偉體格，當問到「中聯」歷史，他茫然不知從何説起，只細聲重複説：「容小意是我的太太，已經死了，打仗時大家做話劇……」，聽來使人傷感。名甘草演員容玉意是容小意大姊，在温哥華護老院終老。

《秋》裏紅線女（原名鄺健廉），一生最傳奇。她是粵劇名伶，唱腔自成一家，稱為「女腔」。一九四七年開始拍電影，第一部是《藕斷絲連》。一九五五年毅然回國內繼續影藝工作，代表作是《搜書院》、《昭君出塞》和《關漢卿》。紅線女每唱《昭君出塞》主題曲第一句半獨白「我今獨抱琵琶望」，全場總是鴉雀無聲，紅線女在香港和國內主演電影近一百套。「文化大革命」時，她頗受衝擊，幸苦盡甘來，廣州市政府於一九九六年成立「紅線女藝術中心」，以表揚她對粵劇貢獻，又贏得聯合國亞洲表演藝術協會的傑出藝人獎，紐約市文化局的最傑出藝術家獎。二〇〇五年，紅線女獲香港浸會大學頒發榮譽文學博士，浸大並舉辦兩場「紅線女藝術成就」講座。在《家》、《春》、《秋》芸芸眾星中，紅線女的成就是得天獨厚。

現在談談電影《家》、《春》、《秋》幕前幕後人物在現實生活的關係，首先《春》導演李晨風與李月清（飾演周氏，高覺新母）為夫婦，張瑛（飾演高覺慧）與梅綺（飾演婢女婉兒）為夫婦，後來離婚。五十年代後期，梅綺忽然息影，成為狂熱宣教士，後患舌癌逝世，張活游（飾演高覺民）與南紅（飾演婢女春蘭）為翁媳，南紅後來嫁與張活游兒子名導演楚原。紅線女（飾演婢女翠環）與南紅在粵劇界是師徒。李鵬飛（飾演奸角周伯濤）與李雁（飾演婢女綺霞）為兄妹。

小結

巴金《家》、《春》、《秋》確是我國近代小說史有很高地位，深遠影響當年社會。《家》初版後，重印二十多版，又編成戲劇：由於內容主張家庭革命，煽動推倒舊制度，《家》戲劇曾數度遭禁演。五十年代「中聯」等製作電影《家》、《春》、《秋》，亦創佳績。距今七十餘年一班幕前幕後工作者大多已離世，他們成功演出小說中人的悲歡離合，同樣在人生舞台上亦各自演出一幕幕悲喜劇，真是戲如人生，人生如戲。

為表揚巴金在文學的貢獻，中國政府一九九九年將一顆新發現小行星命名「巴金星」。一九二七年，巴金從上海乘船赴巴黎游學，在船上寫下很多小學生曾讀過的短文〈繁星〉，我還記得其中一段：「在海上，每晚和繁星相對，我把它們認得很熟了⋯⋯，我望着那許多認識的星，我彷彿看見它們在對我霎眼，我彷彿聽見它們在小聲說話。」昨夜我在庭前冒寒觀星，「中聯」眾星灑下燦爛的昨夜星光，眾星與「巴金星」，彷彿在星空飛舞，在深藍色夜空中互相霎眼招呼，齊齊輕聲祝願世人永享太平。

《多倫多文藝季》
第三十二期（二〇〇六年一月）
第三十三期（二〇〇六年四月）

第二輯

從林則除書法看傲骨人物

二〇一〇年初，筆者短遊廣東東莞市，路經虎門，遙望林則除公園，腦際油然泛起銷毀鴉片的清代民族英雄。林則除（1785-1850），福建侯官（今福州）人，嘉慶十六年（1836）進士，兩年後在湖廣總督任內嚴禁鴉片，又赴廣東查禁海外輸入毒品；翌年收繳英美煙販鴉片十七萬斤，在虎門當眾銷毀。任兩廣總督期間遭權奸誣衊革職，充軍新疆伊犁。後來清廷復起用為雲貴總督，一八五〇年授為欽差大臣赴廣西，途經廣東潮州發病卒，諡文忠。

林則除書法斗方

每逢有朋友駕臨舍下，如果他們對文物有興趣，筆者都會邀請觀賞小客廳一角懸掛的林則除書法斗方，那是香港大學前中文學院許地山教授後人多年前贈送，識文如下：

蒼天有命眷維新，可奈天祥又後身。
萬梅花，彈老淚，二分明，弔孤臣。
忠肝義膽堪千古，賸水殘山看此人，
知己惟憐左忠毅，後先南北並成仁。

林則除書法早年已有盛名，法歐陽詢，作官後，每有酬贈都親筆書寫，絕少由幕僚操刀。上述書法斗方，未有署年份，從風格筆力看，料是三十五歲以前墨跡，字幅雖小，但小中見大氣凜然。未敢肯定書法內容是否林氏創作，作品明顯高度評價南北兩位烈士——宋代文天祥和明代左忠毅（即左光斗），以文，左為榜樣，隱然喻意日後不惜成仁為國家效命。文天祥之〈正氣歌〉，讀者已耳熟能詳，所以筆者另外談一位終身服膺文天祥和林則除的硬骨頭人物田家英，並略述鐵石心腸的左光斗。

真正讀書人田家英

田家英（1922-1966），四川成都人，原名曾正昌，由一九八四年至逝世歷十八年為毛澤東秘書，相貌清秀，頗似京劇大師梅蘭芳，公餘精研清史及窮一生收藏清代學者墨跡。田氏具有典型讀書人優秀傳統素質，包括好學深思、不貪戀權勢、以天下為任、以蒼生為念。毛澤東頗欣賞田氏才華，曾戲言田氏他日死後墓碑應書「讀書人田家英之墓」。田家英敬重歷史人物如岳飛、文天祥、林則除、譚嗣同等，尤其是林則除及維新政變失敗遭西太后斬首的「六君子」。田氏藏有林則除墨跡兩條幅及一對聯，又有「六君子」中四位的墨寶。他最崇拜「六君子」之一譚嗣同（1865-1898）。田氏書齋名「小莽蒼蒼齋」，「莽蒼」二字，語出《莊子》，表現草碧無邊際之意。譚嗣同以「莽蒼蒼」為齋名，有天下一統之意，田氏沿用此齋名，前面加「小」字，以示謙讓前賢。譚嗣同珍藏文天祥曾擁有的一張唐代古琴，名「蕉琴」，日夕相對，作為養正氣，現不知流落何方。

「觀操守在利害時」

一九六六年春，一場翻天覆地的「文化大革命」正在北京醞釀；紅衛兵還未展開激烈行動前，五月二十三日上午八時稍後，有人發現田家英在北京永福堂西廂毛澤東藏書室自縊身亡。隨着史無前例的動亂局面，田氏苦心珍藏清代學者墨跡及書籍數千種遭抄走。筆者無意在這裏探討田氏輕生原因，他的結局是無奈跟隨中國歷史一班無可替代的精英，如古代屈原、賈誼，如近代王國維、老舍、傅雷等的結局，思之心痛。「文化大革命」後，田家英妻子董邊獲發還千餘種「小莽蒼蒼齋」舊藏，田氏後人分批捐贈中國歷史博物館，因為田氏曾説那些藏品是屬人民的。一九九一年五月二十四日，為紀念田家英逝世二十五週年，中國歷史博物館舉辦「田家英收藏清代學者墨跡展覽」，開幕日盛況空前，最觸目是一大群觀眾好像被磁石吸引到一幅林則除書軸前，默默的仰首欣賞，神色凝重，久久不願離開，這就是著名的鎮齋寶「觀操守」書軸（132 X 58厘米）。筆者衷心誠意介紹給各位讀者，並懇請讀者靜心反覆細讀品味，原文是：

觀操守在利害時，觀精力在饑疲時，
觀度量在喜怒時，觀存養在紛華時，
觀鎮定在震驚時。防欲如挽逆水之舟，
纔歇力，便下流；從善如緣無枝之木，
才住脚，便下墜。

上述字幅應是林則除被罷黜後作品，當時心情與環境是惡劣的，但筆法從容安詳，筆力蒼健，毫無燥氣，充份表現書者情操與學養，「觀操守」字幅是林則除修養與人生觀縮影，顯示一個不二真理：謂操守、精力、存養、鎮定，不能憑空口講，而要在特殊環境下才能完備顯現。簡單的說，真操守要經歷利害時才能表現出來，真精力要親嘗饑疲時才顯露出來，真鎮定要面臨震驚才舒展出來。整幅字軸意味深長，有懾人震撼力；中國文化歷五千餘年而不衰，是有賴讀書人這種情操。田家英極重視及真愛「觀操守」書軸，經常掛出與友人共勉。

鐵骨錚錚的左光斗

寒齋藏林則除書法斗方提及左忠毅，即左光斗（1575-1625），安徽桐城人，明萬曆進士，官左都御史，在北方成功大興水利和墾水田；後因疏劾奸臣魏忠賢二十四條大罪，遭魏氏瘋狂構陷下獄，嚴刑炮烙拷訊下仍罵奸賊不絕口。他的入門弟子史可法（1602-1645）以五十金賄賂獄卒得入天牢探望其師，驚見左氏閉目倚牆跌坐，面額焦爛，不似人形，雙腳膝下筋骨盡脫，史氏趨前抱其師痛哭。左光斗雙目已不能張開，但憑聲知為弟子史可法，立刻以手撥開眼皮，射出如炬目光，厲聲怒斥史氏：「蠢才！這是什麼地方？你妄顧安危，不明大義，深入險地，若有差池，天下事他日還有誰可支撐？速速滾回，否則為師我立刻置你死地！」說時做勢取地上刑具撲擊，史氏大驚，帶哭離開；其實左氏是激勵其弟子留命，繼承其遺志。後來史可法常大哭對人說：「我恩師的肺腑是鐵石鑄造的，是煉爐煉出來的！」明崇禎末年，清兵蜂湧圍困揚州，史可法奮起督師守城數月，不眠不休，身先士卒，寒夜中振盔甲起立，衣甲上冰霜落地有聲，有將士勸他休息，他嚴肅說：「吾上恐負朝廷，下恐愧吾師也！」後來城破，殺身成仁，清朝追謚忠王，可見史可法的忠貞是出自左光斗身教，充份表現「觀操守在利害時」和「觀鎮定在震驚時」的錚錚傲骨。

後語

筆者以上簡單介紹幾名歷史人物，他們生活在不同時代及環境，但基本理念與性格是一致的，都曾不顧生死去履行有利國家的事，絕不會為着個人理由去迴避禍害或追求福樂名利，正是田家英一生最喜愛林則除的兩句詩的寫照：

苟利國家生死以，
豈因禍福避趨之。

到最後面臨犧牲一刻，他們都抱擁譚嗣同〈獄中詩〉描述那動人從容與無比豪情：

我自横刀向天笑，
去留肝膽兩崑崙。

《多倫多文藝季》
第五十三期（二〇一一年一月）

林則徐書法 23x32 公分

清末才子梁于渭的一副奇巧對聯

前言

筆者最近往牙醫診所洗牙及補牙；正襟危坐手術椅上，張口閉眼近一小時。正忍受尖鋭車牙聲，腦海忽然亮起清末廣東才子梁于渭贈送名牙醫的一對聯文，心情轉趨輕鬆，思想上草擬了這篇短文。洗牙及補牙完畢，開眼及能言後對女牙醫略解釋該聯，並書於稿紙上，約定小文章面世後寄她參閱，她展開燦爛笑容。這對巧聯曾於一九四〇年二月二十二日至二月二十六日展出於香港大學馮平山圖書館的「廣東文物展覽」，該展覽會轟動一時，參觀者達六萬人，展品之質量可算是空前。梁于渭這副聯湮沒了六十六年，筆者最近有幸目睹，所以特意介紹給讀者欣賞。

梁于渭生平略歷

以往提到清代晚期廣東繪畫，總以人物畫家蘇六朋（1791-約 1862）、蘇仁山（1814-約 1850）、花鳥畫家居巢（1811-1865）、居廉（1828-1904）為代表，比較少留意精於山水畫及書法的梁于渭（約 1840-1917）；此現象近年稍變，研究廣東藝術者已注目梁于渭繪畫、書法及金石學之成就。國學大師饒宗頤教授曾指導一名研究生深入探討梁氏的藝術。

梁于渭，廣東番禺人，所用字號有多個，常用者為杭叔、杭雪；早年曾以「梯」為名，後來棄用。筆名最近見一幅他早年山水作品，是以梁梯簽署，梁氏有才氣，天份極高，精於詩、書、畫、治印及金石研究，曾肆業廣州菊坡精舍，為廣東大儒陳澧（1810-1882）得意弟子。梁氏有一段失敗婚姻，光緒十一年（1885年）中舉人，光緒十五年（1889年）成進士，入禮部任職，故有尊稱其為「禮部」，梁氏在北京未能入翰林而顯鬱郁，仕途坎坷，後南歸廣東，寄寓南海節孝祠，以賣畫自給，且自我封閉，情緒異常，患精神病，一九一七年潦倒病逝。

梁于渭奇聯共賞

歷來撰聯者多以有關牙醫行業為難事，因為牙醫日常從事脫牙、補牙、鑲牙、種牙等工作，極難用典雅辭句布局，惟獨現在介紹梁于渭寫的漢碑體四言聯，短短八字，內容天衣無縫，用字妙到顛毫，請參閱本文所附照片，聯文如下：

易牙知味

鑿齒著書

四行邊款為：

脫齒易新古醫無之，子威七兄得異術，以隱於市，余友潘子玉嗚撰句持贈，為習漢三公山神碑書法以墨其楹，時光緒丁亥（1887），陽春之初也。于渭並誌。

（鈐梁于渭朱文隸書方印）

梁于渭好搜集金石碑刻，此聯以漢隸為宗，筆力豐厚而見飛動，富金石味。現略解釋聯意。「易牙」與「鑿齒」都是牙醫手術，「易牙」是脱牙後換上新牙；「鑿齒」是脱牙或補牙，另一方面，「易牙」與「鑿齒」亦是中國歷史名人。易牙，一名耿牙，春秋時齊桓公寵幸近臣，精於調味，喜逢迎，相傳為了求寵，竟烹其子為羹以獻齊桓公。桓公死，易牙恃寵爭權，殺群臣，另立太子，齊國因此發生內亂。鑿齒，姓習，晉代襄陽人，博學以文筆著稱，善尺牘。聯文內「知味」與「著書」是護齒後效果，能重拾享受飲食與著作，非常配合易牙和習鑿齒兩位歷史人物的專長，聯文人名對人名，語意雙關，巧奪天工，如果牙醫醫務所掛上此聯文，既「巧」且「雅」，必贏得觀賞者會心微笑。

梁于渭聯上款寫「子威七兄」，即劉子威（1862-1925），為光緒年間廣州最有名西法牙醫，奉信耶穌教，中國古法牙醫有脱牙而無鑲牙，所以聯邊款稱西法牙醫術為「異術」，非常有趣。劉子威傳播牙醫術給其子劉體志（1893-1974）。劉體志畢業美國大學，獲牙醫博士名銜，為廣州與香港著名牙醫，戰前曾為宋子文治牙患，而獲贈美國柏架金筆；他青年時與著名學者簡又文、梁寒操為同學，梁于渭為陳澧得意弟子；劉子威為陳澧姪女婿，陳澧姪女名陳慶英（1858-1924），其中可見梁氏與劉氏家族關係密切。此聯書於光緒十三年（1887），時梁氏尚未成進士，年近五十歲。

根據朱萬章編著《廣東傳世書蹟知見錄》（天津：天津人民出版社，2004），梁于渭傳世書蹟共有七件，其實並未有包括本文介紹的漢碑四言聯。饒宗頤教授亦曾觀賞此聯，對聯文巧妙及書法功力都讚不絕口，認為是梁于渭傳世最傑出的書蹟。

《多倫多文藝季》

第三十四期（二〇〇六年七月）

梁于渭漢碑四言聯 118 x 33 公分，寫於光緒丁亥（1887 年）

左起：劉體志、劉子威、陳慶英及劉子威長女，攝於光緒二十四年（1898 年）

再談晚清廣東書畫家梁于渭

前言

汪兆鏞《嶺南畫徵略》卷十介紹梁氏生平大略，並記錄其山水扇面及山水手卷上名學人如梁鼎芬（1859-1919）之題詩，是研究梁于渭寶貴資料。故友汪宗衍（汪兆鏞第六子）在九十年代初離世前不久，曾多次對筆者說：梁于渭畫作有大成就，特別是山水及人物畫，為二蘇（蘇仁山、蘇六朋）及二居（居巢、居廉）外獨樹一幟，值得深入研究。

梁于渭之郁鬱性格

梁于渭是廣東番禺人，雖然逝世只約九十年，但其生卒年始終是謎，其卒年計有三種說法，即一九一二年、一九一三年及一九一七年，以馬國權《廣東印人傳》定其卒年為一九一七年較為可信。馬國權曾走訪梁氏一名書僮，名鄭蘇，他於一九一一年起在梁家傭工多年，直至梁氏歿後才離開。鄭蘇謂梁氏享壽七十餘，所以推知梁氏約生於一八四〇年代初，亦即是鴉片戰爭香港開埠前後。

形成梁于渭郁鬱孤峭性格，而晚年近乎完全自閉之怪異行為，有以下原因：第一、他有一段不愉快婚姻；他入贅韓令家後與岳父反目而成為無家，以後一直未有再娶。第二、梁氏取得副榜貢生資格（光緒八年，1882年）及舉人資格（光緒十一年，1885年）前，曾在一八七六年至一八八〇年間遠赴四川出任同學譚宗浚（1846-1888）之幕客。在四川時，梁氏恃才傲物，因鋒芒太露而招同事所嫉妒，汪兆鏞《嶺南畫徵略》記錄石德芬題梁于渭山水手卷詩云：「……幕中主客半名流，無端惹得同人妒……，一贅終身不復妻，恨隨溝水判東西。」就是指出上述兩個原因。第三、梁氏於光緒十五年（1889年）得中二甲第一百一十二名進士，入職京師禮部，因未能入翰林而耿耿於懷，終生抱恨，影響情緒至大。第四、梁氏精於金石，手稿本《麟枕簿》為其考證金石碑刻心血著錄，曾在一九四〇年香港的廣東文物展覽會展出，該手稿已於一九四九年前易手，現存台灣國立圖書館。傳說康有為（1858-1927）論書法名著《廣藝舟雙楫》有不乏資料是擅自涉取梁氏研究成果，此舉刺激梁氏頗大。此說並無有力證據，日後研究《麟枕簿》者或可引出眉目。

梁于渭之抑鬱與怪行都淵源其自己性格與外來因素，根據朱汝珍太史（1869-1942）憶述，當梁氏在北京禮部工作時，曾有某官屢施壓逼梁氏為其作畫，梁氏竟繪一血淋淋人頭畫像，遂得狂人稱號。梁氏仕途坎坷，孤傲耿介，同為廣東名儒陳澧（1810-1882）弟子的同學如譚宗浚、梁鼎芬、康有為等都享有高位，獨梁于渭「斯人獨憔悴」。大約一八九四年，梁氏在京師鬱鬱不得志，決定回廣東，寄寓南海節孝祠，地址即今日廣州米市路省委統戰部，原祠早已拆平，只有三數老榕樹是當年舊物。梁氏回廣州後，生活日益困頓，只能賣畫自給，昔日住在京師華宅，與交遊者有著名金石家如繆荃孫（1844-1919）、葉昌熾（1847-1917）等，南歸後入住寂寞凄凉的節孝祠，缺乏朋友來往，性情更趨乖僻，喜怒無常，終日啼哭。曾有客人親臨求畫，竟遭梁氏出劍指嚇，慌忙逃跑。這時惟一能接近他的是怡康泰洋服號主人陳坤。陳坤一面接濟梁氏，一面收購梁氏大量畫作，並作為其作品代理人，求畫者多經陳坤手。

梁于渭與香港的關係

陳坤（號石崖），藏梁于渭畫作甚多，後全數傳與其子陳佐乾。陳佐乾為一慷慨佛教居士，在香港繼續經營怡安泰洋服店；今日該店仍在香港中環德輔道中先施公司斜對面，店中掛有梁于渭多幅山水畫，十分醒目搶眼。一九六九年，陳佐乾將其家藏梁氏作品公開義賣，作為贊助籌建香港佛教醫院，作品目錄見《梁于渭作品義賣展覽特刊》（香港：自刊本，1970）。凡梁氏畫作鈐上了「石崖」小藏章者，都是陳坤藏品，亦多是一九六九年或以後散出。梁于渭逝世五十餘年後，其畫作竟惠及香港興建佛教醫院，凝聚社會力量，想當年困居南海節孝祠之梁氏亦始料不及，而陳氏父子兩代義行義舉，更值得表彰。

梁于渭的繪畫

梁于渭擅寫山水、花卉及人物，以山水畫佔最多，其次是花卉、人物，而人物多為山水畫之點景人物，如屋內書生或舟子等，甚少以人物為主題。梁氏山水畫多用乾筆，以青綠山水畫最難得，所用石綠為居京師時收藏之精品，後攜回廣東使用。筆者藏有戴國材老師賞我之青綠山水一套四幅，格調清高，落筆細膩，襯以蠅頭小楷題詩，是光緒庚子年（1900年）精作，珍貴異常。梁氏的沒骨花卉，有絹本及紙本，能粗亦能細，都雅淡温婉。梁氏之主題人物畫極少，筆者家藏一紙本扇面「踏雪尋梅」，有設色，人物造型接近較梁氏早期的廣東人物畫家蘇六朋（1794-約1862）。畫面是一老者，右手拄杖，左手搭僕人肩膊，僕人手捧載有新折梅枝花瓶，二人在雪地上緩行，四野寂然，人物、野橋、寒江、遠近山皆勾勒簡樸明朗，作者刻意大量留白，未見積雪而意會雪景，寒氣逼人，整個扇面，有畫情，含煉與真實，呈現自然與人的和諧、合一及融和。

梁于渭是近代廣東繪畫史上一名特殊怪傑，可以用「時饒奇趣、博雅多方」來形容他的畫作，他一生經歷大起大跌，他的生活越深，引致他的表現力越強。梁氏無論寫工筆或意筆畫，寫人、景、物，都先在心中醞釀已久，到感情來時，然後下筆。因此有深厚個人風采，一望便知道是梁于渭作品。不知是什麼原因，筆者總覺得梁氏的畫好像直言朋友跟你講一些純樸的話，更深信他的畫作會日益受重視，他的藝術地位將會與他較早期的二蘇（蘇仁山、蘇六朋）並駕齊驅。

《多倫多文藝季》

第三十五期（二〇〇六年十月）

秋雨秋風愁煞人——革命先驅秋瑾女士就義記

一九〇七年七月十五日黎明前，秋瑾（浙江紹興人）就義紹興古軒亭口，享年三十一歲，距離廣州黃花岡之役不足三年，離武昌革命成功只三年餘。有人說一部中國近代革命史應由秋瑾說起，這是合理的。西湖秋瑾墓先後遭清廷及文化大革命極左派毀壞，一九八一年十月為紀念革命成功七十週年，秋瑾新墓在西湖孤山西泠橋落成，墓座矗立烈士二點七米高石像，頭梳髮髻，上衣大襟唐服，下着百褶散裙，左手插腰，右手按劍，英姿颯颯，觀者動容。大理石墓座正面孫中山先生題字「鑑湖女俠千古」和「巾幗英雄」。筆者試就可靠資料試聚焦烈士被捕、受審、就義前後三十六小時情況，作為緬懷首位女性犧牲革命先烈。

秋瑾被捕

一九〇七年（光緒三十三年丁未）二月，紹興大通學校聘秋瑾主持校務。她並無兼課，有人還記得她身形中等，高鼻樑，經常梳一條辮子，穿着魚肚白竹布長衫，曾纏足而後期放足，穿黑色皮鞋，身懷六響手槍護身。秋氏秘密身份是同盟會負責人，聯絡與蔡元培有關的光復軍，以學校掩護積極訓練學生從事反清活動。表面上秋瑾與地方官虛與委蛇，譬如三月大通學校舉行開學典禮，紹興知府貴福（滿洲人），山陰縣知縣李鍾嶽親臨致頌詞；貴福贈秋瑾一對聯：「競爭世界，雄冠地球」，上下聯首就是秋氏別號「競雄」，各人一起拍照集體相，以茲紀念。

清廷耳目早已得悉大通學校為革命基地。七月十日秋瑾從上海各種日報知道戰友徐錫麟於安慶起事失敗死難，隨即與學生密謀提前起義，計劃先佔領紹興。七月十三日，清廷證實起義消息後，密令遣兵圍剿學校。形勢非常嚴峻，午後學生力勸走避，秋氏堅持留守，只遣走一批學生，其中一名雜工蔣繼雲（浙江金華人），性格狡詐，整個下午糾纏秋瑾索取銀両作盤資。下午四時清軍第一營管帶徐方紹率領三百餘清兵包圍大通學校，學生頑抗擊斃清兵多人，再力勸秋氏從後門逃走，秋氏堅拒，神色自如，最後與學生十餘人及蔣繼雲被捕；蔣氏竟出賣同志，供出革命黨人姓名住址，以求脱罪。清兵搜出多件武器，包括秋氏自用手槍，各種毛瑟槍四十七枝及子彈二千二百餘發等，又搜去秋氏詩文〈祖國沉淪悲不禁〉、〈同胞苦〉、〈歎中國〉、〈普告同胞檄稿〉、〈光復軍起義檄稿〉等作為反動罪證。

清兵押送秋瑾到紹興知府衙門（今紹興市府山橫街府山公園東一帶）。歷史學家范文瀾曾目睹當日情景，那時他正在紹興放暑假，親見秋氏被押送時身穿白汗衫，雙手反縛，神態嚴肅鎮定，多名清兵力推促她向前走，前後有眾多荷槍執刀士兵，一行疾步衝過范文瀾家門口，直奔朝向紹興知府道路。

秋瑾受審與「秋雨秋風愁煞人」

秋瑾被捕後，紹興知府貴福即日升堂審訊。秋氏初不語，貴福追問同黨姓名，秋氏只答多謝貴福時常到訪大通學校並蒙贈送對聯及一起合照事，貴福不敢再問，匆匆退堂。秋氏被囚禁臥龍山下監獄。翌日（七月十四日），貴福指令山陰縣知縣李鍾嶽提審秋氏，地點是縣廨花廳。李鍾嶽令人備座命秋氏坐廳右，劈頭即問犯人是否革命黨人，秋氏應聲説「是」，再問為何要革命，秋氏答：「我素來主張為男女革命，並未觸法，不知因何遭逮捕。」秋氏環顧後發覺其中一吏役為貴福派來監視，即閉口不言。李知縣再三盤問，秋氏堅不吐實情，只略說被抄文件為己物。烈士忍受慘烈酷刑，雙目重創，筆者不忍描述其中詳情。

李鍾嶽亟欲得秋瑾供詞及簽押，命人遞與數張白紙及朱筆，令其書寫，秋瑾思量頗久，只寫一「秋」字便停筆凝思，眾人屏息細視，以為她會續寫成「秋瑾」二字，再三催促，秋氏忽執筆疾寫成盪氣迴腸的「秋雨秋風愁煞人」七字。多年後秋氏女兒王燦芝編《秋瑾女俠遺集》將「雨」、「風」二字互調作「秋風秋雨愁煞人」，這是不正確的。有關「秋雨秋風愁煞人」七字之有無，歷來說法不一。一說有好事者揑造刊登一九〇七年七月十五日《中外日報》專電；一說確有其事，不過當日李鍾嶽密藏秋氏七字遺言於朝服內袋，始終未拿出來；另一說自從《中外日報》刊載七言句後，浙江巡撫即電紹興知府貴福，命速將真跡交來杭州巡撫存檔案，貴福如命照辦，後來辛亥革命爆發，革命軍攻佔杭州，撫院遭焚燬，原稿煙滅。歷史學家傾向秋氏七字遺言屬真實。筆者近閱讀秋瑾遺詩，未知是否姓「秋」原故，其中頗多詠秋詩作，以「菊」、「梧桐葉」、「秋雁」、「秋日」等為詩題。其中一首律詩〈秋日獨坐〉赫然有「一庭黃葉雨聲和，劇憐北地秋風草」兩句，次序是「雨聲」和「秋風」，十分吻合其絕筆七言「秋雨秋風愁煞人」，詩情頗為一致，非親身經歷者很難有此佳作。

秋瑾就義

秋瑾一連兩日受審都堅不吐供，亦無簽署供詞。按清代律例不應殺無口供犯人。後來傳出所謂秋氏詳盡供詞，實出於貴福幕僚揑造，以圖掩人耳目。七月十四日秋氏第二次審訊後被押回獄中，深夜曾請老女獄卒解開刑具，準備執筆書寫；午夜後（七月十五日）忽聞獄門外喧聲震天，燈火通明，大批清兵如臨大敵，老女獄卒開啟獄門，驟見刀光劍影，嚇至渾身戰慄不能言；秋瑾見狀知道情況有變，鎮定請清兵暫熄強燈，容她凝神片刻，然後向縣令提出三項要求：一，准其作書別親友，二，臨刑不得脫衣裳，三，不能以首級示眾。縣令只答允後兩項，秋氏輕聲言謝。有清兵欲上前挾其前行，秋氏厲聲謂自己能行，毋需強掖。烈士穿白色生紗衫褲，足穿黑皮鞋，並帶鐵鐐，半閉目緩步至古軒亭口，已是清晨四時許，天尚未明。臨刑前，秋氏請行刑者容她試看是否有親友送別，於是張目四顧，晨星數點，草木含悲，環境淒涼寂靜，烈士忽然閉目說：「可矣」，從容引頸就義。她曾說革命運動以來犧牲者只有男士如史堅如、吳樾等，從未有女性捐軀，認為是女界之羞，她求仁得仁，亦為女界解羞，大家亦明白為何她有一個與男性競爭的別號——「競雄」。

秋瑾殉國當日，其兄譽章弟宗章等親戚恐被誅連，一日內先後避居紹興壽禪寺和廣孝寺，不敢往收烈士遺骸，最後大通學校洗衣婦王安友冒險用草蓆裹殮，由同善堂草草葬臥龍山下。數月後秋氏摯友徐自華、吳芝瑛等實踐烈士「埋骨西泠」遺願，將秋氏遺骨葬於西湖西泠橋畔，墓碑刻「嗚呼鑑湖女俠秋瑾之墓」，由吳芝瑛親書。翌年清廷派人鏟平秋氏墓，烈士後人將遺骨遷葬湖南湘潭。民國成立後，國民政府將秋氏靈柩還葬西湖，並建「風雨亭」作紀念（「風雨」二字出自秋瑾七字遺言），一九二九年，在當年囚禁秋氏監房附近臥龍山另建一「風雨亭」，碑文由蔡元培撰稿，于右任手書，極盡哀榮。

後記

筆者心儀紹興已久，鄉土風物、人和事都吸引着我，可算是「當時未遇已關情」，但總是緣慳一面，紹興人傑地靈，晉朝王羲之蘭亭雅集韻事，書寫傳誦千古《蘭亭序》，就在鑑湖附近（以鑑湖水釀紹興酒特別芬芳醇美）。紹興歷代人材薈萃，隨意記起的有文學家魯迅周作人兄弟、前北京大學校長蔡元培、前北京大學名教授朱希祖（前香港大學中文系主任羅香林教授岳父），有明末不降進士王思任（1576-1646，官至禮部侍郎、名書法家，明亡後，閉門大書「不降」，絕食死），有清代著名文學家、書畫家如趙之謙（1829-1884）、李慈銘（1829-1896）、任伯年（1840-1896）、陶濬宣（1849-1915）等。走筆至此，筆者不禁決心明春遊紹興，逍遙尋覓魯迅筆下〈孔乙己〉的咸亨酒店、〈狂人日記〉、〈明天〉描述的藥店（從這裏可望見古軒亭口），還有一些如幻似真、有血有肉、富鄉土情的舊社會人物如阿Q、祥林嫂、單四嫂子、潤土、孔乙己、七斤嫂、豆腐西施等。不過紹興最令我神往的濃墨重彩，還是在細雨中徘徊於古軒亭口，臥龍山麓和大通學校遺址，期待得沾鑑湖女俠充塞天地之浩然正氣。

《多倫多文藝季》

第五十六期（二〇一一年十月）

鑑湖女俠秋瑾照片

從一封新發現國父的信說起

前言

筆者多年前往加拿大東岸探親，在一老華僑家裏發現四件民國初年名人寫的信札，發信人是國父孫中山先生（1866-1925，以下統尊稱國父）、馮自由（1882-1958）、夏重民（1887-1922）及林森（1867 - 1943），收信人是胡維壎（1842-1980 年代），信箋分別是中華革命黨用箋，及參議院公用箋。四封手札只記日月而無年份，亦無加標點，但分析內容，當為民國五年（1916）至七年（1918）作品，距今已近百年。據初步研究，從來未有文獻談及此四件信札，而其中國父手札更值得深入探討。現將國父及馮自由兩信的照片附於本文，並加釋文及補標點如下：

一、孫文致胡維壎手札一頁：

第二百八十八號

維壎仁兄同志惠鑒：三月十八日惠書誦悉種切。尊處前匯香港五十二元為温鍾兩烈士恤款，未悉寄由何處？何人轉交？望詳細查覆。夏君重民刻尚居東，不赴他處也。領袖支部來報，積存各處來款二萬餘金，已電飭其代購飛機，以備軍用，惟現時機價極昂，只能購兩臺。望諸同志竭力籌捐，俾得款多購。尊處少年同志曾學兵操，有志效力不避艱苦者，請擇優質遣來東備用。至岑椿萱，本舊官僚，見識思想均極愚陋，斷不足維持中國，奉之者不過借為傀儡而已。專此奉覆，敬請

大安

孫文

四月十日

二、馮自由致胡維壎手札一頁：

維壎同志義兄大鑒：來教敬悉。民國不幸，迭為惡人蹂躪。諸君關懷時事，至堪敬佩。吾黨現正積極進行以貫徹三民主義，刻下方從國會中佔勢力，大約恢復國會之目的必能達到也。諸同志希代道候，並候

義安

弟　馮自由上

廿一日

馮自由致胡維壎手札

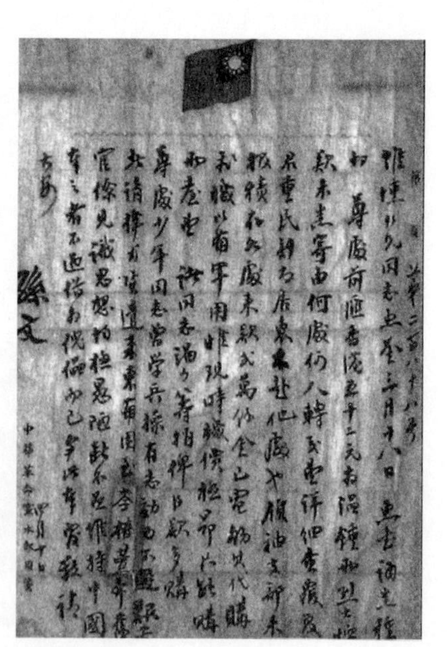

國父致胡維壎手札

收信人胡維壎

胡維壎，廣東台山人，上一代已移民加拿大。胡氏自幼受西方教育，後從事飲食業。民國成立前，胡氏已與北美愛國團體致公堂有聯繫，極有可能通過致公堂加入同盟會，並且積極支持國內反清運動。早於清宣統三年（1911），馮自由任加拿大同盟會支部長，負責籌募革命經費。上述馮自由信前稱胡氏為「維壎同志義兄」，信後云「並候義安」，二人關係密切，可見胡氏為同盟會會員無疑。筆者亦曾見胡氏八十三歲獲蔣介石頒贈一幅親題灑金箋「壽」字掛軸，上款為「維壎先生八秩晉三大慶」，下款為「蔣中正」，可見胡氏一生頗受黨國重視。胡氏約於一九八〇年代中期在温哥華病逝，這是他的家庭醫生親口對我說的。

國父與馮自由兩信札的背景

一九一一年十月十日，武昌起義，革命成功，國父自歐洲返國。翌年一月一日就職臨時總統，四月卸任。袁世凱利用革命黨人軟弱妥協，登上總統寶座，在政壇上翻雲覆雨，為私利破壞共和。袁氏不容異己者阻撓其政治野心，竟於民國二年（1913）三月二十日派人在上海刺殺國民黨代理理事長宋教仁（理事長為國父），後來更肆意解散國會，毀棄約法。國父發起倒袁護法運動，恢復秘密黨社，於民國三年（1914）七月八日將國民黨改組為中華革命黨，以「掃除專制政治，建設完全民國」為號召。上述國父手札就是用中華革命黨用箋。翌年袁氏稱帝，國父率領各省聲討，袁氏羞憤死。黎元洪繼任總統，因受北洋軍閥控制，國會及約法仍未恢復，國父率艦隊南下廣州護法，獲選為大元帥，南北成對峙之局，這是北伐前的形勢。

馮自由信內提及「民國不幸，迭為惡人蹂躪」，就是指一班軍閥如段祺瑞、馮國璋、曹錕、張勛等蓄意用武力鏟除革命黨勢力。

國父重視撫恤烈士家屬

在歷次倒袁及抗北洋軍閥戰鬥，有不少華僑回國響應。加拿大華僑子弟兵二百餘人曾在山東濰縣一帶浴血戰鬥，犧牲相當大。國父的手札提到，溫鍾兩烈士撫恤金，並查詢如何轉交烈士後人。

國父重視以空軍救國

武昌起義後，美國芝加哥華僑捐獻六架飛機組成飛行隊回國支持革命，亦有具備科學技術的海外華人回國效力。國父深知空軍在對抗北洋軍閥會起一定作用，所以很早便倡議建空軍，在加拿大和日本都有訓練場所。國父手札提到利用各革命支部積存二萬餘美金，全部用於購飛機兩架。受信人胡維壎的誼兄胡漢賢（1884-1965）亦是加拿大華僑，專事訓練空軍人材，北伐前回國任職大元帥航空局指揮部，為發展中國空軍先驅者。

國父狠批岑春煊

國父手札提到岑椿萱，即岑春煊（1861-1933），出身紈袴，後來努力用功，光緒十一年（1886）中舉人，清戊戌年（1898）行新政，光緒皇帝任岑氏為廣東布政，不久升任巡撫、總督、尚書，官運亨通。戊戌政變失敗後，岑氏轉而巴結西太后，為人善於逢迎，屬墻頭草。民國初年，他見袁世凱得勢便倚靠袁氏，到南方政府有聲勢，他又依附國父，後來更盡量利用其清末遺老所謂超然地位混水摸魚，被推為主任總裁，國父在信札內嚴斥岑氏只具官僚見識，思想極愚且陋，不足維持中國，只是一傀儡。果然，數年後岑氏自覺在政治上已不能有所作為，退居上海，重過賭博狎游的腐化生活；由此可見國父觀人的高明遠大。

《多倫多文藝季》

第三十七期（二〇〇七年四月）

漫談政治才女宋美齡

宋美齡與冰心先後畢業於美國麻省衛理斯理女子學院，成就各有千秋，前者屬政治才女，後者是文學才女。宋美齡第一次踏足美國地是紐約，時為一九〇八年夏季，九十五年後在美國逝世，地點亦是紐約，時為二〇〇三年十月二十二日，享年一百〇六歲，橫跨三個世紀，目睹清末維新、民國創建、軍閥割據、五四運動、日本侵華、兩次世界大戰、國共內戰、新中國成立、政治運動、文化大革命，港澳回歸等大事。一九三六年十二月西安事變，蔣介石被挾持，美齡親自冒險到西安斡旋，事件完善解決，其中的內幕錯綜複雜，隨着美齡逝世，這段歷史的第一手親歷資料亦告湮沒，有人說美齡贏得歷史最後微笑；有人指她專橫、傲慢，對國家毫無功勞。有人說她是永遠的中國第一夫人；亦有人嬉笑怒罵她是「紐約的老太太」和「獨裁者的太太」。

本文將不觸及政治，只是漫談她幼年在上海，九十五年前在美國，與及六十年前在美國和加拿大的行蹤，作為緬懷一名有影響力的歷史人物。

幼年在上海

宋美齡一八九七年三月出生於上海，排行第四，二姊宋慶齡比她長四歲；祖先來自山西省，後來避亂落籍海南島。其父宋耀如，出生於海南島，在美國受教育及發跡，回國後任教員及傳教士，是胡適在吳淞讀中學時的老師。美齡出生地是上海川沙鎮蘭香堂七十四弄一號，室名「內史第」，地屬浦東。美齡晚年時有人求證她的出生地，她操上海話淡然一笑說：「阿拉是浦東人。」宋美齡在上海的多處舊居仍然存在，包括宋家物業的陝西北路三百六十九號花園洋房、虹口區餘杭路五百三十號她童年住所、虹口區昆山路一百三十五號景靈堂是她少年參加禮拜及聖詩班的禮拜堂，還有東平路九號是宋美齡與蔣介石於一九二七年十二月一日結婚後住的「愛廬」。美齡幼年時與慶齡就讀上海著名的中西女塾，是美國教會在中國辦的第一所私立女子學校。該女塾注重英語，教師多為外籍，學生英文程度頗高。二〇〇三年八月，上海川沙鎮「內史第」舉行了「宋氏家族居住紀念地」揭幕儀式。

留學美國

宋耀如三名兒子（子文、子安、子良）及三名

宋美齡年輕時留學美國照片

女兒（靄齡、慶齡、美齡）都先後接受美國大學教育。一九〇八年夏天（光緒卅四年），美齡跟隨二姊慶齡由上海乘「滿州號」輪船赴美國讀書，二人先在紐約附近新澤西州斯密特城私立學校學習外語，準備入讀喬治亞州馬根城基督教衛理公會辦的衛斯理安女子學院。到達喬治亞州後，美齡因為年齡尚幼，未能正式入讀該學院，但住在學院宿舍，與同年兩女童一齊學習，其中一名是學院院長女兒，一九一二年正式成為大學一年級學生，那年美齡十五歲。宋靄齡和宋慶齡亦先後在一九〇九年及一九一三年畢業於該學院。

由於宋慶齡於一九一三年學成回國，宋子文則在波士頓哈佛大學二年級肄業，美齡於一九一三年轉學至麻省波士頓附近著名的衛理斯理女子學院，註冊時以其長兄宋子文為家長，主修英文，副修哲學，並學習法文、音樂理論、歷史、聖經歷史及演說等，四年級時以優異生獲最高榮譽獎。在大學生活時，美齡多穿美國式裙履，但上衣往往是中式輕衫。當年哈佛大學及附近很多中國男留學生傾慕美齡，她自己恐怕回國後家長會代她選擇夫婿，因此在衛理斯理女子學院時，曾與一名中國留學生訂婚，其後不知何故退婚。寒齋藏有一幅美齡約十六歲在美國的照片，特意印製於本文。一九一七年，美齡以最高榮譽生成績畢業，年僅二十歲。九年後（一九二六年），我國著名女作家冰心亦在該學院畢業。三十年後（一九四三年），美齡獲美國羅福斯總統邀請在美國國會演講，她的儀態與機智贏得美國人很深刻的印象，很多人除讚賞她優雅的英語，更奇怪她的英語發音帶有喬治亞州獨有的鼻孔濁音和波士頓口音，主要原因是她早年曾在這兩地受教育有關。

一九一七年，美齡回國，開始學中國文學，她的老師是一舊式塾師，教學方法是講經讀書，每星期學習古文兩三篇。美齡又積極參加上海留學生活動，在女青年會擔任社會工作，中國檢查影片委員會會員，又為第一名華人獲上海市政廳選任為兒童勞工委員會委員。美齡回國後仍與其美國母校及同窗有密切聯繫。一九四二年六月十五日，衛理斯理女子學院舉行第六十四屆畢業禮，以名譽法學博士學位授與美齡，由中國駐美國大使胡適代表接受，並向畢業生演講，榮獲頒授法學博士學位前二日，即六月十三日，美齡由戰時陪都重慶向一九一七年屆畢業生及其他歷屆衛理斯理女子學院畢業生作廣播演講，翌年更親臨母校訪舊。

戰火中秘密訪美

二〇〇三年十月二十二日，宋美齡在紐約逝世，享年一百〇六歲，距離她第二次世界大戰時訪問美國剛好六十年。海峽兩岸及外國傳媒都有廣泛報導她去世消息。中國《青年參考》罕有的全文刊載美齡一九四三年在美國國會的演詞，更具特別意義。當年美齡訪問北美，除了政治目的外，其實早在一九四二年底，她已悄然到美國紐約療傷。事緣一九三七年「七七」事變後，日本軍八月十三日在上海與中國軍隊正面衝突，「八一三」後不久，宋美齡到上海前線勞軍，不幸翻車負傷，另一說謂遭日軍炸傷，傷病一直纏繞多年。大概是一九四二年春夏之交，距香港淪陷後約四個月，當時中國沿海半壁山河已陷敵手，包括首都南京，政治中心亦已轉移陪都重慶；蔣介石夫婦的美國好友出版家普斯夫婦突然訪問重慶，力勸宋美齡來美國，一則療治傷患，二則替中國宣傳抗日，使美國政府及人民多認識中國。普斯又強調美齡訪美可抵三十師兵力，但蔣介石表示不贊成，且謂有夫人在旁幫助，可抵六十師兵力；後來因美齡健康日差，最後決定於該年年底秘密輾轉飛行八天到美國，抵步後即入紐約長老會醫院，住院長達十一星期。

美國國會傾情擁抱

一九四三年二月十一日，宋美齡恢復健康出院，先在紐約海德公園羅斯福總統別墅小住六天。二月十七日與一行隨員赴華盛頓，羅斯福總統夫婦與美國軍政要人百餘人到聯合火車站迎接，待以國賓之禮。羅斯福夫人首先親入車廂陪同美齡齊步而出，美齡身穿中國旗袍，頭包圍巾，綴以首飾，左手抱花，徐行向貴賓廳與羅斯福會晤，稍後一同乘總統專車回白宮，預算逗留兩星期。

二月十八日，宋美齡應邀在美國國會演講，美齡穿旗袍，由羅斯福夫人親陪到國會山莊，總統夫人坐在環廊上聆聽，以示支持。美齡講詞力言中國抗日到底的決心，並呼籲美國切勿只全力對付德國而忽略日本之侵華，並強調日本的侵略野心比德國還厲害，若不早挫敗日本必會增加將來中美兩國人命犧牲。演講完畢，全體國會議員起立鼓掌，以示讚賞。美齡的動人口才和雍容台風，使參眾兩院議員耳目一新；通過電台直接廣播，使「蔣夫人」之名烙印美國上下人心。演講完畢，美國上議院設宴招待。

翌日，宋美齡由羅斯福總統夫婦陪伴在白宮召開新聞發佈會，到場各國記者二百餘名。美齡身穿浮凸花黑緞旗袍，以綠玉絲絪邊，肩絪雙行，所戴耳環、戒指、手鐲及衣鈕，均為瑪瑙製成，穿飾以金色線條的黑色高跟鞋，胸前別着中國空軍國徽。先由羅斯福發言，美齡繼後一一答覆傳媒問題，對答得體自如，主要是聚焦中美戰時合作及美國援華等問題。美齡又獲羅斯福夫人頒贈美國國民勳章。

美國的旅程

宋美齡在美國國會演講引發一股中國熱旋風。美國各地數十團體，包括四州州長，二十三城市及教育機關，紛紛致電白宮及中國大使館，邀請美齡訪問，最後美齡只選擇探訪五個城市，包括：

美國東部紐約（三月一日至三月六日）
　　　　波士頓（三月六日至三月十八日）
北部　　芝加哥（三月十八日至三月二十四日）
西部　　三藩市（三月二十五日至三月三十日）
　　　　羅省（三月三十一日至四月十一日）

整個行程非常緊密，筆者只就若干具趣味情節與讀者分享，美齡三月六日到波士頓後即轉赴母校衛理斯理女子學院，校長麥菲女士親到車站迎接。當汽車駛近校園，美齡囑咐司機慢駛，以便細看第六號屋子，那是二十五年前她曾住的大學宿舍。是日同級八十人回校舉行重聚會，美齡還記得及道出很多同學名字。大學並邀請其向全校員生演説。當美齡講出第二句時，大概因為感動大深而幾乎暈倒，隨行護士即給以通關鹽，美齡略為休息後繼續演講。翌日美齡身穿藍布長褲便服，足穿薄底鞋，與校長一行人在校園幽閒散步懷舊。衛理斯理女子學院傳統不准學生在校內穿長褲，但因美齡穿長褲漫遊校園，故校方以後亦打破此禁例。

宋美齡於三月二十五日抵三藩市，在市府接受金鎖匙，獲全美國最大華埠熱烈歡迎。中華總會館門口左右懸花聯，聯文如下：

到美議院慷慨陳詞，舌燦蓮花。
會友邦奮起增援，救民水火。
向我華僑殷勤宣慰，情深梓桑。
願群眾贊勷抗建，還我河山。

三月三十一日抵羅省，旅美中國女明星黃柳霜親自訓練華僑女童歌詠隊歡迎。四月四日，三萬餘各界人士在荷里活廣場參加歡迎大會，羅省四千餘華僑幾乎全數出動，全場樂隊齊奏「蔣夫人步行曲」，由著名音樂家斯作達譜曲。四月八日，美齡會見荷里活電影界及電台人員四百餘人。獲邀請影星皆盛裝赴會，報載羅省各大公司禮服均被搶購一空。著名影星羅拔泰萊、英格烈褒曼、亨利方達等當場捐獻巨款支援中國抗日。

最後一站——加拿大

宋美齡一行於四月十二日再返回紐約，休息一段日子後才啟程往加拿大訪問，國際傳媒對這段行程比較低調。六月十六日，美齡獲邀請在渥太華加拿大國會演講，亦為第一位婦女在該國會演講。加拿大紅十字會及華僑抗日聯會派代表向美齡獻抗戰金十一萬餘元。當時荷蘭已淪陷，為逃避納粹德國逼害，荷蘭女王及公主正避難加拿大，宋美齡趁機會在渥太華與荷蘭王室會議。訪問加拿大後，美齡準備秘密啟程回國。有一回記者招待會中一名美國記者詢問回國路程如何，美齡未有正面回答，只笑謂確實日期及行程，日寇一定最感興趣知道，登時引起哄堂大笑。美齡離開北美回重慶日期不詳，但由於她在該年十月在重慶參加蔣介石任國民政府主席就職典禮，她大概七月底已秘密回國。跟着十一月陪同蔣介石出席開羅會議，美齡周旋於羅斯福與邱吉爾間，舉足輕重。總之一九四三年，美齡時年四十六歲，是她多姿多彩一生中最璀燦輝煌的一年。

《多倫多文藝季》

第二十五期（二〇〇四年一月）

第二十六期（二〇〇四年四月）

漫談史學大師羅香林教授

前言

一九七八年四月十一日，香港各大報章報導羅香林教授逝世消息，其中《快報》標題為「莘莘學子，痛失良師。香港史學巨擘羅香林昨逝世。」當日很多大學生相見時都說：「羅公走了。」眾多中學生亦奔走相告：「寫《中國通史》和《中國民族史》的羅教授已去世。」

筆者在過去數十年的公職生涯，接觸不少學人，羅香林教授可算是最平易近人和平實的學者，除了擁有極淵博史識外，更難得是與人溝通時那份出自內心的坦誠；認識他的人都尊稱他為羅公。筆者在上世紀六十年代有幸得列門牆六年，深深體會他的一言一行都富啟發性，獲益良多，一生受用。羅公去世忽忽已逾四十年，他的笑貌與帶濃烈客家口音的普通話或廣東話，宛然如在目前。

羅公的名字

羅公，字元一，號乙堂，一九〇六年十月十九日生於廣東興寧縣，其父幼山公是前清秀才，亦是儒釋道三教同源論的讀書人。曾訪問羅公府上的朋友或學生，注意力一定會為懸掛在客廳牆上那信札鏡框所吸引。該信是幼山公寫給羅公，內容主要是論學與修養。羅公十分珍重此信札，刻意精裱掛於客廳當眼處，以示不忘父親訓誨。羅公名字由幼山公改，「香林」之名，含超脱苦厄，普渡眾生之意，源出於佛教回向文中：「火鑊冰河之地，變作香林；飲銅食鐵之徒，化生淨土。」；字「元一」，是出於《春秋》：「元者端也」和《尚書》：「惟精惟一」之義。至於「乙堂」別號，是羅公自己所取，乙部就是史部，足證羅公早以史學為終身職志。一九五一年羅公在粉嶺崇真堂受洗歸入基督教，禮名為「靈宗」。

羅公與羅師母

羅公一生從事教學四十七年，撰述從未間斷，成專書三十七部，論文二百多篇，每天有寫日記習慣，平均每十五個月撰作專書一部，不到三個月撰寫論文一篇，精力過人。

羅公早年在梅縣接受中小學教育，十八歲（一九二四年）到上海研習數理化學，後來由於性喜史學，於一九二六年入讀北平國立清華大學史學系，他的師輩都是國寶級文史學大師，包括王國維、梁啟超、朱希祖、陳寅恪、顧頡剛等名宿。一九三〇年秋畢業後，升讀母校研究院，專治唐史與百越源流問題，兼肄業燕京大學研究院，獲榮譽獎學金。

羅公見重於其師清華大學教授朱希祖（南明史權威）。一九三五年與朱希祖女公子朱倓在南京結婚。朱倓家學淵源，對明史有深入研究，曾撰寫《南明史》，一九三七年正籌備由上海正中書局排印，不久上海失陷，稿件亦不幸毀於砲火，至為可惜。朱倓二次大戰前後曾任廣西教育所講師，廣東省文理學院講師，廣州市立中山圖書館館長，又獲選為廣東省婦女界國大代表，貢獻甚大。羅公一生研究史學，羅師母為其得力左右手，相信很多羅公學生研讀明史寫論文時，直接或間接得自羅師母不少第一手資料。

羅公研究院畢業後，曾在中山大學、中央大學任教，兼廣東通志館纂修；戰後回廣東任省府委員，兼廣東文理學院院長。一九四九年初抵香港，先後在香港文商學院，香港大學任教，後升為香港大學中文系主任，一九六八年榮休，為香港大學永久名譽教授。有一件鮮為人知之事，就是退休後，香港浸會學院院長林子豐博士曾懇邀羅公擔任文學院院長。羅公經詳細考慮後婉辭高薪之職，轉而接受珠海書院之聘擔任文史研究所所長，原因是他認為珠海書院環境更適合從事發揚中國文化工作。羅公的決定，頗出人意表，但更使人肅然起敬。羅公在珠海書院繼續孜孜不倦於教學與研究，十分辛勞。羅公素來清健，生活簡樸，但晚年前後三次因肝病入醫院，都是因積勞成疾。

每到一地必有研究

羅公有一習慣，就是他的專著付印前，例必親自抄錄一份，又親自校對大樣。筆者曾見過他多部手抄本，多用毛筆書寫，包括注釋目錄，然後線裝或精裝妥當，一絲不苟，非常珍貴。他的書法渾厚淵雅如其人，秀逸而有韻味，與其師梁啟超的書法同得力於漢代《張黑女碑》。

羅公另外一習慣是每到一地，例必深入研究當地歷史文化，並搜羅有關圖書及資料。一九四〇年，羅公隨中山大學遷粵北，途經桂林，於西山觀音峰發現唐代摩崖佛像，有精闢研究及著作。一九四一年，又於紫金忠壩發現國父上世家譜舊本，為學術界重大發現。一九四九年初，羅公抵達香港，以沙田暫作停居，後遷居粉嶺安樂村，不久即對新界掌故、族譜、風俗、古蹟等作探索研究，對香港歷史作有系統考究。

筆者多年前偶得一頗殘舊線裝手抄本，計有八十六頁，是羅公藏書，一九四〇年購自桂林舊書肆。後來我將該手抄本重裝，視若拱璧，萬金不易。羅公在該書扉頁有親筆記錄，原文如下：

民國二十九年十月四日晚九時，過中北路，於舊書肆得《晨曦之前》一詩稿，未署撰人名氏，詩為語體，多民國十二年至十五年所作，頗幽深可喜，非深於新詩者不辨，爰購歸藏之。

與寧羅香林

羅公又將此手抄本借與其好友名教育家祝秀俠觀看。祝氏亦在羅公題字後親筆題：

辭句清麗，韻味深長，惟意境幽凄，殆亦別有懷抱者歟。祝秀俠（民卅二年八月）

筆者後來有機緣考究《晨曦之前》之原作者，原來是活躍於五四運動以後時人稱為「悲哀的詩人」于賡虞。于氏為河南省人，曾執教河南大學，與五四時代詩人穆木天齊名，二人的新詩都以音韻見稱。于氏的詩集多以表現悲凉詞匯命名，如《晨曦之前》、《落花夢》、《孤零》、《骷髏上的薔薇》等。可惜羅公已逝世，我亦無緣與他揭開他六十餘年前購自桂林那手抄本神祕作者之謎，這亦算是無奈的缺陷美。

平易近人

認識羅公的人都會為他的温柔敦厚所折服，最難忘是他經常略帶靦腆的笑容。學生在研究上遇有任何困難時，羅公不待對方出口已經伸出援手，施與及時雨，更不吝嗇借出珍藏的第一手材料，以解學生燃眉之急。他時常找機會述説學生的優點和成就，從不妄加批評，只有讚勉共勵。有一次我忍不住問羅公：「為什麼你老是讚賞你的學生？難道他們毫無缺點？」他回答：「你有所不知，讚賞自己的學生直接認同學生的成就，間接鼓勵和鞭策自己教學相長。」

上羅公的課是一種福氣和享受，每堂必有所得。他從不欺堂，絕無缺課，例必早到遲退。每講課前首先在黑板疾書大綱，不喜借用投射器顯示資料，手上的咭片只是幫助思路，講到興起時，羅公瞇起雙眼，全情陶醉在歷史古今；到他的嘴角泛起少許白沫時，同學大概知道九十分鐘的課程已匆匆過去。現在仍有一些所謂前衛學者批評羅公教學太保守和欠缺互動，屬"Chalk and Talk"一類，我絕不敢苟同。我曾多次上過所謂前衛教授的課，動輒以投射器發放資料在白板上，不時開關機掣，課室忽明忽暗，頗為擾人，怎及羅公上課做到手到口到心到的無我境界。

無言之教

羅公指導學生研究時經常有以下對白：

「研究學問要容忍，無論什麼困難事都可以解決。」

「做學問工夫，不要斤斤計較金錢和名義，眼光要放遠大，發揚中華文化和民族道德，至為重要。」

羅公研究專題很多時請學生或兒女幫助一些資料搜集或翻譯工作，往往在著作上提名道謝，使後學者獲得認同和鼓舞。羅公兒女曾告訴我，他們的父親教導兒女別出一格，從不叱喝體罰，但一言一舉，都威而且嚴，但嚴中卻帶着愛護和寬恕。羅公三公子羅康曾講述他十歲時，一次在街頭大排檔吃紅荳沙，剛巧他父親經過，未有發一言，只以帶責備的望一眼，自此以後，他戒絕街頭吃粥的陋習。提到羅公「不發一言」，亦即是「不言而言」的最高境界，令我不禁勾起四十多年前的一幕。猶記得一九六〇年秋季，筆者在大學唸書，羅公率領一班約三十名同學乘遊艇往離島考察張保仔遺蹟及一些香港史蹟。各同學魚貫登船，直航長洲，天高氣爽，各人談笑風生。遊艇分兩層，樓梯頗狹窄。我生性好動，上落樓梯多次；一次由下而上，前面有一人亦正向上層挪移，其人身形略胖，我在下，他在上背向着我，我還以為是同樣身型的同學「肥佬蔡」，毫不猶疑瞧着上面的圓厚屁股使勁連拍打兩次，到我定睛細看，前面上梯者正是羅公！當堂嚇出一身冷汗，如果羅公好奇回頭一望，我肯定無地自容。難得羅公若無其事，默然不語，繼續上行，的確是高人。我比較羅康「幸運」，因為羅公沒有用帶責備的望一眼。現在回憶當年孟浪不羈，少不更事，非常汗顏，數十年後從實招來，以補余過，但羅公的「默然不顧」，使我在處世方面，終身受用。

遽然歸去

羅公是一健者，從不言休，他的友好與學生很難想到疾病與死亡會與他扯上關係。一九六八年他從香港大學退休後，受聘任珠海中國文學研究所所長，教學與研究有增無減，而且為香港筆會、同鄉會、崇真堂等奔走不停。珠海書院出版委員會編印《廣東文徵》，由羅公負責，工作繁忙，由原稿保存，至分發抄寫、校勘登記、編目督印等工作，事事親力親為，到他撰寫《廣東文徵》第六冊後記後，準備付印，他就病倒了。羅公病源在肝，引起腳腫，病情多番好轉後又復發，主要問題在長期積勞引起身體透支。羅公明白非短時間可以復原，於是親自回研究所請校長批准病假，這時已是一九七八年初。不幸年前羅師母中風，臥病在牀，起居不便，羅公病前執着親自看護而後安心，更使其心力耗盡。

一九七八年春節前，羅公先後三次入醫院治療，病牀上猶親自校對《廣東文徵》。好友黎炳昭先生還記得曾帶兩位公子往浸會醫院探病，羅公親自下牀與小孩聊天，言談中不忘記中國文化的延續。羅公最後遺作是三月二十六日在浸會醫院寫的〈史館論議跋〉，是隨意用原子筆書寫在普通紙上，並吩咐出版委員會秘書袁飛翰重抄一遍，並請代寫一短函，一併空郵寄與海外學者馮翰文，這是羅公最後遺作，距離去世只二十五日。後來羅公安葬於香港新界粉嶺安樂村崇謙堂墳場，墳頭植有兩株高松，象徵羅公的高風亮節。

羅公最可貴的不單是他個人在史學的成就，他循循善誘、悔人不倦的教學精神，才真正使人佩服。除了立功立言外，羅公篤信基督，愛人如己，是立德人士，一人而兼三者，歷史屈指可數。每個世代都有不少有成就的學人，但羅公擁有多一層質素，就是「無愧」，他是罕有的無愧學人，他的風範與著述，將會永垂不朽。當一些大人先生們仍然大聲疾呼、理直氣壯或嗡嗡的附和為何要取代大學入學試中國歷史獨立科目時，我不禁想起在粉嶺安樂村日出雲中與月明松下躺着那一位一生研究歷史的歷史巨人，眼前湧現那一位經常穿着一襲藍色西服、永不言休的學者——左手拿咭片，右手疾書黑板，然後回首瞇起雙目，面帶腼腆笑容，滔滔不絕，全情投入歷史的長河。

刊《多倫多文藝季》
第二十七期（二〇〇四年七月）
第二十八期（二〇〇四年十月）

民國二十九年十月四日晚九時、過中北路、於舊書肆、
得晨曦之前一詩稿、未署撰人名氏、詩爲語体、
多爲民國十二年至十五六年所作、頗幽深有意、能
深於新詩者所辨、爰購歸藏之。照寧羅香林。

羅香林教授手跡（1940 年 10 月）

羅香林教授對研究生講宋王台事跡（攝於 1960 年代初期）

漫談藝術歌詞創作家韋瀚章教授

前言

《多倫多文藝季》第二十五期(2004年1月)刊載關慶文先生大作〈懷念著名歌詞創作家韋瀚章先生〉，非常感人，近來傳媒頗多報導現代粵語流行歌詞；無可否認，有些流行歌曲水平很高，雅俗共賞，但有些則流於「太流行」，流行一個時期便不流行了。在快餐文化泛濫的年代，關慶文先生大文引發我寫這篇漫談。

我應怎樣稱呼他？

韋瀚章於一九〇六年一月十七日出生廣東省中山縣翠微鄉(現屬珠海市)，是我同鄉前輩。由於一瞎眼算命先生謂其五行欠水及一生忌水，建議取一水旁的字為名，為此他父親為他取名「瀚章」。我自孩童時已不肯定應怎樣稱呼他；他是我父親少年同學，他的太太吳玉鸞是我母親幼年同學，我可稱他「叔叔」或「伯伯」；他的哥哥(韋炳章)是我父親的堂姊夫，我可尊稱他為「姻伯父」；他屬韋家「猷」字派，與我外祖父同輩，我又可尊稱他為「外叔公」；因此大家關係相當複雜。雖然有人謂「有大應尊稱大」，我見他面時總怯怯的叫一聲「叔叔」或索性以「你好嗎？」來搪塞過去。在偶然的通信，我稱他為「瀚章叔」。在這篇小文章裏，恕我直稱其名，以求統一。我兒童時第一次在九龍深水埗東沙島街他的寓所見他，那時他大概接近五十歲，談話內容早已忘記，只記得他笑說：「我們沒有兒女，但教過的學生很多，亦可算是兒女眾多。」

不知什麼原因，他這幾句説話仍存在我的腦海。

華彩四射的歌詞

韋瀚章謙稱「野草詞人」，一生淡薄名利，孜孜不倦創作藝術歌詞，共有三百餘篇，經別人譜曲的佔三份二以上。《野草詞總集》（台灣東大圖書公司一九八九年七月初版）刊載二百六十八首。一九三一年一二八淞滬之戰突發，日本侵華野心表露無遺。翌年，韋瀚章與著名作曲家黃自合作〈抗敵歌〉歌詞，另外自己創作〈旗正飄飄〉，二者最為人樂道，由黃自譜成雄渾激昂的混聲大合唱，力重千鈞。翌年第一次由上海音專同學在杭州藝專舉行「抗敵演唱會」時演唱，一時台上台下都振奮莫名，唱者、指揮者、聽者的眼睛都是濕潤的。鼓舞人心的歌詞，可抵百萬雄師，與〈義勇軍進行曲〉、〈松花江上〉和〈中國不會亡〉成為五大抗戰名曲，永垂千古。

韋瀚章創作的歌詞最大的特色是未配音樂已有音樂之和諧，除慷慨激昂外，亦有清麗委婉的一面；譬如一九三一年（時年二十六歲）以少婦身份寫的〈春思曲〉，其中字句：「今朝攬鏡，應是梨渦淺，絲雲慵掠，懶貼花鈿。小樓獨倚，怕睹陌頭楊柳，分色上簾邊……。」完全是宋代女詞人李清照的風格，一九七四年（時年六十八歲）寫的〈紀夢〉，是夢會亡妻後的力作，全文如下：

一樣的深沉院宇，一樣的寂寞粧臺，
一樣的她，依稀猶在；

一樣的我，
祇如今新添了一段悲哀。
一樣的含愁無語，一樣的熱淚盈腮，
一樣的相看哽咽，一樣的欲訴情懷，
一樣的怨恨人天永隔，
一樣的痛惜舊歡難再，
怎須臾一夢，醒得恁快！
一樣的深沉院宇，一樣的寂寞粧臺。
一樣的她，如今安在？
一樣的我，
空賦着魂兮歸來！
魂兮歸來！

全首詞用了十四次「一樣的」和「一段」「一夢」各一次，描繪沉沉院宇、寂寞粧臺、逝去伊人和自己，以人、物和情融和整首詞，恍如低音大提琴一曲蕩氣迴腸的旋律，感染力強，有催悲感，弦斷情在，散發出無限哀思，沉澱着無盡追憶。我以為這首歌詞（林聲翕作曲）是近代最動人的悼亡詩，可比美宋代蘇東坡記夢亡妻〈江城子〉的一段：「……夜來幽夢忽還鄉，小軒窗，正梳妝……料得年年腸斷處，明月夜，短松岡。」

晚年的日記

韋瀚章於一九九三逝世。我知道他有寫日記的習慣，急着想深入了解他的思想、學養、特別與文學界和音樂界朋友往來情況，我一直想讀他的日記。二〇〇四年夏季，我趁回香港數月，從我表兄（韋瀚章侄兒韋子剛）借閱這批日記，發覺只存有六十八歲以後部份日記（一九七四年，一九七七至一九九一年五月十八日），後來徵得我表兄同意，將所存日記十五冊，連同韋瀚章所藏音樂文獻手稿及音樂資料共五十八項，一併贈送香港中央圖書館，現存該館十樓藝術資源中心的「香港音樂特藏」，供讀者參閱或研究。

我曾細讀整批日記，除最後一年所記載因年高體衰關係有混亂外，其他日記思路清晰，記載與音樂界朋友的交往，以及享受侄兒和侄女兩家的親情關顧。有一點我要特別強調，日記內容多番表露作者對生命、教學和創作的熱衷，每年元旦的日記例必自勉；日記亦多次顯示他思想上看透生死，他七十二歲的一則日記（一九七八年一月十八日生日後一天），就是一篇上乘散文，用字精煉，再加嫌贅，再減則簡，感情躍然紙上，很有禪意，且有《紅樓夢》結局的味道，特意記錄供讀者欣賞。

「死當然是悲劇，是活着的人的悲劇，對死者本身卻不一定是悲劇，有時反是喜劇呢！人到了『生無可戀』的時候便生不如死了。死了基督教徒説是安息，佛家説是大解脱，總之是『了』字；人生最怕是不得『了』，有些人卻是『了』不得，得『了』時便乾淨了。」

韋瀚章一生創作藝術歌詞，詞作有音樂感，並深入生活，在中國近代音樂史上有崇高地位，獲獎無數。他晚年日記在每年的頭一天，一定會用毛筆非常莊重書寫同一祝願語，作為元旦開筆，書法雅淡如菊，我願意借用他的祝願語獻給讀者：

元旦開筆　萬事皆吉
百病消除　身心安逸

第二十九期（二〇〇五年四月）
《多倫多文藝季》

己未元旦

元旦開筆萬事皆吉
百病消除身心安逸

韋教授墨寶（作於 1979 年 1 月 1 日）

不落的彩霞——漫談戲迷情人任劍輝

一九八九年十一月三十日，香港報章全部頭條報導名伶任劍輝（1912-1989，以下稱任姐）病逝，享年七十七歲，轟動全港。今年是任姐逝世三十年，上世紀五十年代是任姐最輝煌日子，反串男角，唯肖唯妙，有「戲迷情人」美譽。很多任姐迷試過遇有身體不適，只要去看任姐的大戲或電影便精神爽利，不藥而癒；我相信有其事，因為我幼年同屋住的老佣人便是一名瘋狂任姐迷。任姐的曲藝成就自有學者研究，本文旨在漫談她的人生片段，作為懷緬一代藝人。

任劍輝與粵劇

任姐原名任麗初，又名任婉儀，廣東南海人。她自小跟姨母小叫天（粵戲女小武）學大戲，很早加入「鏡花緣班」在廣州真光百貨公司天台遊樂場演粵劇，成名作是《西廂待月》。十四歲跟女小武黃侶俠學藝，天份高兼勤力苦練，有「女桂名揚」封號。香港淪陷日子（1941-1945），任姐與白雪仙、靚次伯、歐陽儉等在澳門成立「新聲劇團」演出。香港名演員李香琴當時在澳門讀書，為任姐標準戲迷，尋且學戲成名。抗戰勝利後，「新聲劇團」移師香港，任姐此後一直在香港演出，先後在著名粵劇團擔綱演出，包括「大鳳凰劇團」、「艷陽天劇團」和「仙鳳鳴劇團」。任姐與正印花旦合作的有紅線女、芳艷芬、余麗珍、鄧碧雲、羅艷卿、吳君麗、白雪仙等，戲寶有《帝女花》、《紫釵記》、《蝶影紅梨記》、《再世紅梅記》、《牡丹亭驚夢》、

《李後主》等，傳誦數十年。

任姐反串文武生，玉樹臨風，是很有氣派的。她在《帝女花》一劇飾演前朝駙馬，尾場出台時一臉悲憤，用二絃夾唱中板，滿有幽情暗恨，跟着撩袍轉身，手到眼到，非常壓場，與新馬師曾爭奪文武生領導地位。任姐唱南音及小曲亦有一手，百聽不厭，讀者有機會不妨留意她與紅線女合唱的《游龍戲鳳》。一直到一九六九年，任姐因健康問題淡出舞台，梨園享譽數十年，從未低沉。

任劍輝與電影

任姐很早踏入影壇，處女作是一九三七年演出的《神秘之夜》，參演者有上海妹、子喉七、伊秋水等。在香港拍的第一部粵語片是一九五一年的《情困武潘安》，與秦小梨合演，陳皮導演。由一九五一年至一九六七年，任姐演出超過三百部電影，過去她演出的著名粵劇差不多都搬上銀幕，最後一部與白雪仙合演《李後主》，創下粵語片最大製作、最長映期和最高票房收入記錄，當年任姐片酬每部約港幣一萬七千五百元，她的片酬與戲金都由司理代其買樓收租，以現見樓價的升值計算，任姐的身家是非常豐厚。

任姐演的電影都是認真的，並無所謂「七日鮮」製作，即七日內速成一部電影。我記得五十年代有一部粗製的曲藝片《歌唱胡不歸》，只花了二十四小時便拍成，這是極速記錄。五、六十年代香港知名度高的女明星都曾與任姐合作拍電影，計有白雪仙、白燕、周坤玲、秦小梨、紫羅蓮、紅線女、容小意、鳳凰女、吳君麗、譚蘭卿、芳艷芬、陳寶珠、蕭芳芳、羅艷卿、李香琴、鄧碧雲、于素秋等。昨夜星光燦爛，讀者可試考自己認識的有哪幾位。

任劍輝與白雪仙劇照

任劍輝與陳寶珠和雛鳳

一九六九年，任姐與白雪仙（以下稱仙姐）退休後，積極訓練粵劇人才，一班雛鳳如龍劍笙、楊雪仙、朱劍丹、蓋劍奎等都是任白學生，他們並無任何拜師儀式。任姐正式收徒只有陳寶珠。寶珠父母陳非儂和宮粉紅是粵劇界前輩，深為任姐敬重。一九六〇年一月三十日，寶珠拜師禮在香港銅鑼灣開平道仙姐寓所舉行，寶珠父母、滿堂親友及各大傳媒在場見證。寶珠先向任姐叩頭斟茶，又奉上拜師禮物，當眾口稱誠心願為弟子，遵循教誨；跟着任姐致簡短訓詞。那時陳寶珠已演出多套電影，青春玉女形象，深受年青影迷追捧，凡有寶珠出現地方，眾口一聲「寶珠姐來啦！」，一時戲迷排山倒海，山鳴谷應，場面驚人，事後現場總有遺下頗多鞋隻！現在説來已是接近五十年前的舊事。

任姐與仙姐於一九六九年創立「雛鳳鳴劇團」，對粵劇革新及培養接班人，作出巨大貢獻。任姐教導雛鳳如慈母，循循善誘，從不疾言厲色，相對仙姐是一位嚴師，不怒而威；任姐是好好先生，仙姐則要求甚高，二人配搭得天衣無縫，在生活上是摯友和知己。一九七二年，任白為「六一八水災」籌款義唱，為二人最後一次公開演出，任姐逝世後，仙姐成立「任白慈善基金」，更造福人群。

任劍輝逝世前後

任姐與仙姐於一九八七年移居加拿大，時有往來加港，晚年在香港生活。任姐喜歡熱鬧，日常招聚友好打麻將，常謂打牌能醫百病，就算精神差，亦會請親友來家中竹戰耍樂，自己則作壁上觀。她患的慢性病包括頸骨神經痛、肺氣腫和肺積水，非不得已不願入住醫院，寧願在跑馬地寓所「逸廬」休養，日常有特別護士護理。

話說任姐病重離世當日，即一九八九年十一月二十九日，家裏特護已婉轉告訴各人謂任姐隨時會離世，仙姐姊妹、任冰兒及其他多位親友在場加以打點一切。仙姐因操勞過度，需要注射鎮靜劑，後來倦極回房休息。特護每隔十五分鐘為任姐把脈及量度血壓，雖有氧氣幫助呼吸，病人仍氣若游絲，眾人不敢驚動熟睡的仙姐，稍後察覺任姐彌留時似有放心不下的表情，於是仙姐的妹妹學足仙姐語氣，在任姐耳畔高聲說：「Friendly（仙姐對任姐的暱稱），你安心去吧！我會好好照顧自己，你放心啦！」。任姐隨即微微點頭，平靜離世。有好事者謂仙姐醒後驚悉任姐已離開，不堪刺激而狂吞安眠藥，這是不正確的傳言。

任劍輝雅好藝術

任姐收藏不少藝術品，如書畫、古典傢俬等，由此可理解為何她在舞台上一舉手一投足，都帶有藝術氣質。任姐逝世後約一年，她的家人舉辦任姐藏品拍賣會，所有收入撥作慈善。我友人投得一散冊嶺南畫派始祖居廉（1828-1904）的花鳥人物扇面共九件，我要求轉讓，最後他限我選購其中一件，我買了設色「踏雪尋梅」，畫中高士攜杖在寒冬郊野訪梅，超然物外，書童瑟縮侍候，意境動人。

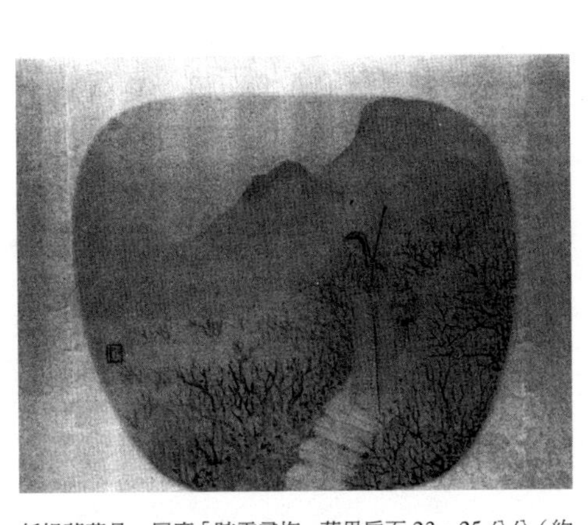

任姐舊藏品，居廉「踏雪尋梅」蘋果扇面 23 x 25 公分（約 1890 年）

後語

任姐第一部電影是一九三七年與最佳諧星伊秋水合演《神秘之夜》。一九五五年伊秋水病逝，任姐大力支持與眾星集體義拍《後窗》，所有收益供伊秋水遺屬生活教育費用，可見任姐為人念舊，使人欽佩。當今日路過曾經鑼鼓聲不停的太平、高陞、中央、利舞台和普慶粵劇院舊址，我們懷念任姐；當今日擁有七百萬餘人口（絕大部份為廣東人）的香港大都會竟仍然缺乏粵劇場所，更未能長期演一班粵劇，我們十分懷念任姐；當很多觀眾仍傾心於一些演員互擲蛋糕、射水濕身或古怪身體接觸的節目時，我們更懷念永遠的任劍輝。她一生忠於表演藝術，她有無比翩翩風度、瀟灑身段，她的文戲是不朽的。直到今日，她恍如那長天不落的彩霞，依舊在天際舞台亮相，粉墨登場，光彩奪目，演出工架。

《多倫多文藝季》

第四十七期（二〇〇九年七月）

第三輯

文物的奇妙散聚

人有離合，月有圓缺，物亦有散聚。有歷史與經濟價值的文物每天都扮演散與聚的角色，可惜散者多而聚者少，因為人進行「散」文物的活動比「聚」的多。散文家小思（盧瑋鑾教授）有一篇文章「獲寶」生動描述她與友人在垃圾站獵得一批絕版中文圖書（見小思：《夜讀閃念》，香港牛津大學出版社，2002年），很多是上世紀三、四十年代上海出版的新文學書籍，乍驚狂喜之情，躍然紙上。有人曾在屋苑垃圾房發現一幅書法家香翰屏的草書橫披；有人曾在北美的雪地上拾獲一支德國萬寶龍古董金筆；有人曾進入香港半山區一所正卸拆洋房，赫然發現空空的大客廳仍掛着一副清末狀元翁同龢的八言行書大聯；又有人曾在香港旺角區一停業酒樓買到一大酸枝架，內有國畫大師趙少昂畫的竹蟬大橫披，畫面有十多隻棕黑色的蟬掛在多枝粗綠竹上，非常難能可貴。

亡友汪宗衍曾親口告訴我兩宗文物的奇妙際遇。汪氏為廣東文物掌故權威，他所述説極為可靠。我試行收集及組織一些背景資料，然後披露這兩段掌故始末如下：

人力車上的國寶

香港在第二次世界大戰前後有兩次非常重要的文物展覽。第一次是一九四〇年二月二十二日至二月二十六日，在香港大學馮平山圖書館舉行的「廣東文物展覽」，發起人為葉恭綽、黃般若、簡又文、鄧爾雅等，展品全是有關廣東文獻、書法、繪畫、金石等。第二次是一九四七年一月二十九日至二月二日，在香港般含道羅富國師資學院（當時仍未稱羅富國師範學院）舉辦的「中國古代文物展覽會」，由中國文化協會與中英學會聯合主辦，發起人包括黃般若、鄭德芬、潘熙等。展品除來自香港藏家外，主要由廣州藏家如何冠五、莫元瓚、高燕如、黃般若、張谷雛等借出，展品達一千多件，盛況空前。展覽圓滿結束後，廣州各藏家親攜借出文物準備在西環碼頭乘「西安輪」返廣州，不料凌晨開航前一小時，輪船突然起火，熟睡中乘客驚醒愴惶逃生，遇難者百多人。上述廣州各藏家都幸逃出火海，其中畫家張谷雛（又名張虹，曾任教香港金文泰中學）素來重儀容，火警時仍刻意穿上西服，結了領帶才施施然手提多件文物離開火場。據聞文物損失慘重，除八種宋元明版孤本外，古畫燒毀者有明代丁雲鵬《山水人物花卉扇冊》、元代黃公望《夏山圖軸》、清代吳歷《山水冊》、清代王時敏《青綠山水軸》、明代王守仁《書法軸》等，為中國文物一大浩劫。

上述故事仍未完結，大約火燒西安輪後五個月的一個黃昏，在廣州文物店集中地文德路，有一輛人力車（或稱東洋車，廣東人稱車仔）悄悄的停在一著名裱畫店前，車上載有三大麻包古代中國文物。跟車者迅速將三麻包搬入店中，當夜裱畫店主人以一般價錢收購了整批文物，聞說就是從火燒中的西安輪冒險偷運出來，當然店主發了一筆大財，又聞說解放前部份文物已售與國內博物館，部份流往海外，有小部份帶回香港，總之店主在中國內戰時期靠這批文物養活了數家人。最令人神往的聞說小部份文物今天仍封存在店主的香港後人家中。我真祈望知道究竟封存的是什麼東西，尤其是元代黃公望（1269-1354）的《夏山圖軸》是否真的仍在世上。

竹籬中的珍貴楹聯

清末廣東著名大儒陳澧（1810-1882），字蘭甫，番禺人，讀書處曰東塾，也稱東塾先生，為嶺學始創者，凡地理、天文、樂律、算術、詩詞、書畫、金石諸學都有深入研究，任學海堂學長數十年。光緒五年己卯（1879年），陳澧剛退休，年七十歲，兩湖（湖南、湖北）總督張之洞一向敬服陳澧學術成就，集《後漢書》兩語親筆寫聯句贈陳氏，聯文為：

棲遲養老，天下服德；
銳精覃思，學者所宗。

（陳氏歿後，其門人將聯文刻木懸於陳氏祠作紀念，地址在廣州禺山中學側。）

陳澧獲贈聯後，隨即撰篆書楹聯答謝張之洞，聯文為：

萬言筆語關文運，
十載神交寄我心。

聯旁款云：「孝達（張之洞）尊兄先生惠寄楹帖，其語過奬不敢當，書此奉酬。近年得讀大著輶軒語迴

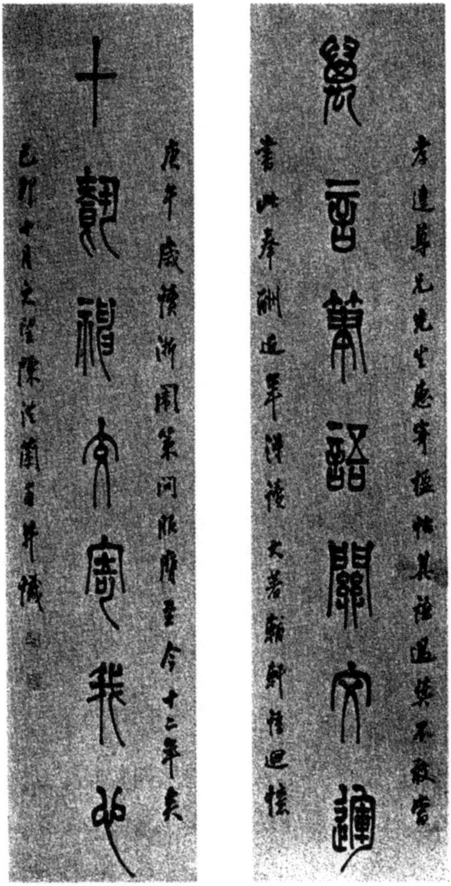

陳澧贈張之洞篆書楹聯（1879 年）

憶，庚午歲讀浙闈策問，服膺至今十二年矣。己卯（1879年）之望。陳澧蘭甫并識。」

張之洞（1837-1909），字香濤，又字孝達，南皮人，清同治進士，曾任湖北四川學政，對當時文壇有精闢見解，故陳氏上聯云「萬言筆語關文運」，就是這意思。張之洞後任廣東總督，創辦廣雅書院，又提倡中學為體，西學為用，為維新派重要人物。張陳素未謀面，從二人互送之聯文，可見大家惺惺相惜，表現崇高君子之交。張氏官位高，但陳氏回贈之聯文，不亢不卑，緊貼身份，頗有學者風度。

陳澧回贈張之洞之聯後來從張氏後人流入藏家韓氏，此後一直未有現世。這故事尚未結束，在一九五〇年初的某一天下午，一名舊物收買者（廣東人稱收買佬）擔着一雙竹籮，在澳門十月初五街沿路叫收買舊物。當時有一讀書人無意發現後面竹籮突出一副對聯，忙趨前檢視，赫然發現原來是陳澧回贈張之洞楹聯，當堂眼前一亮，連忙付錢購歸。本文附錄的照片就是這時攝製的。其後此聯輾轉三次易手，從此再沒有出現。雖然現在已沒有收買者沿路叫收買舊物，但每當我路過一些舊物店時，我總會張望一下，期待又有奇跡出現，能再一睹這副有傳奇來歷的珍貴楹聯。

《多倫多文藝季》
第三十六期（二〇〇七年一月）

曾充作紙字簍的國寶毛公鼎

中國民族的祖先很早發現了銅，新石器晚期已經開始製作及使用青銅製品，鼎就是其中一種青銅器。中國鼎文化高峰期為商朝（公元前 1600-1100）和西周（公元前 1100-770）。鼎是祭祀容器，亦是一種飲食器，為用者身份象徵，所謂「別上下，明貴賤」，典籍載有天子九鼎、諸侯七鼎、大夫五鼎等等，就是這個意思。存世國寶級的鼎有清代出土之海內三寶，即大盂鼎（現藏北京故宮博物館）、大克鼎（現藏上海博物館）及毛公鼎（現藏台北故宮博物院）。現存有銘文的青銅器有七千多件，以毛公鼎金文最長，有三十二行，共四百九十七字，被譽為海內三寶中之至寶。

筆者缺乏學術專業水平考究毛公鼎的古奧艱深銘文，只從字裏行間略知道周王為中興室，致力革除積弊，命重臣毛公忠心輔助周王，免遭喪國之禍，毛公為感謝皇恩，特鑄鼎記其事，故世稱毛公鼎。銘文又描述鑄鼎時局勢險峻，殊不寧靖。毛公鼎二千餘年後出土，再目睹歷次時局動盪與更替，筆者試圖漫談寶鼎的傳奇收藏經歷，藉此窺視中國近代歷史縮影。

從道光年出土到清末

清道光三十一年（1851 年），陝西岐山縣董家村村民董春生耕種時挖掘出一古老銅鼎，毛公鼎埋地逾二千年面世，由古董商人以白銀三百両購得，再以重金行賄知縣，悄悄運走，後落入西安古董商蘇億年之手。毛公鼎為西周晚期宣王時期容器，高五十四厘米，重三十四公斤，大口圓腹，兩立耳，矮短獸蹄形三足，造型渾厚凝重，呈現出一種莊嚴肅穆的形象，飾紋簡潔有力。咸豐二年（1852年），北京金石學家及收藏家陳介祺（1812-1894，山東濰縣人，道光二十五年進士）以白銀一千両從蘇億年購入毛公鼎，秘藏密室，不輕易示人。

陳介祺病逝後，其後人賣出寶鼎，歸兩江總督端方（1861-1911）。端方為滿洲正白旗，本為漢人，姓陶，號陶齋，從政之餘，收藏古文物頗豐，輯錄為《陶齋吉金錄》。一九一一年辛亥革命，武昌起義，清廷命端方率軍往四川鎮壓保路運動，端方在亂軍中遭擊斃，毛公鼎一度失蹤。

歷盡滄桑一寶鼎

民國初年北洋政府時代，中國政局不穩，南北對峙。端方後人家道中落，曾將毛公鼎秘密押給在天津的華俄道盛銀行。英國駐華記者辛浦森，亦是古物收藏家，願意以美金五萬元向端家購買毛公鼎，端家以出價太低，不肯割愛，否則寶鼎早已流出國外，隨着中國陷入軍閥割據局面，毛公鼎從端家流入東北大軍閥「關外王」張作霖手中。一九二八年，北閥已成功，日本人恐中國統一坐大，在中國境內橫生事端，張作霖遭日人炸斃於皇姑屯。後來一九三六年震驚中外的「西安事變」主角之一的張學良，就是張作霖的兒子，這是題外話，言歸正傳。毛公鼎輾轉由北洋政府交通部總長葉恭綽（1880-1968，廣東番禺人）以假名購得，存入上海的銀行保險庫。葉氏精財政，擅交通，又是詩詞名家，善鑑賞，收藏古代書畫甚豐。

一九三七年八月十三日，中日淞滬戰爭爆發，上海成為孤島，葉恭綽避難香港，毛公鼎仍留上海，葉

毛公鼎，高 54 公分，重 34 公斤。西周晚期器物（約公元前 770 年）

氏交其侄葉公超（1904-1981）保管，叮囑千萬不能轉讓寶鼎，更不能出國外流。葉公超早年畢業英國劍橋大學，與胡適、徐志摩創辦「新月書店」，出版《新月雜誌》，為新文學「新月派」主力，後入政壇，曾任外交部長，性好收藏文物。太平洋戰爭前，日本人在上海淪陷期間一直銳意搜尋毛公鼎。一九四一年夏，葉公超密攜毛公鼎逃避香港，同年聖誕節，日軍佔領香港，葉公超托日本同盟國德國友人將寶鼎運回上海收藏。因為生活困頓，葉家將毛公鼎押於銀行，後由汪偽政府時代上海巨商陳某贖出買去。陳氏發跡上海灘，經營五金工廠，長袖善舞，巴結敵偽，生意無往而不利，附庸風雅，收藏古物其豐，視毛公鼎若拱璧，秘藏私室。

一九四五年八月，日本吞下兩枚原子彈無條件投降，中國八年抗戰結束，國民政府還都南京，分海陸空軍三路接收各淪陷區。陳氏因為涉嫌在汪偽政府時代與敵偽有交易，為求討好當局，密函國民政府願無條件獻出毛公鼎，作為慶祝國家抗日勝利，不料新聞記者早洞悉原委，將陳氏罪證資料登載報上。陳氏眼見形勢不妙，料負責懲奸及接產的軍統局即將行動，三十六著，走為上着，舉家逃亡海外。當局接到陳氏獻寶密函後，急派一名大員到上海陳家接收毛公鼎，發覺陳家大門已由國統處封條，人去樓空，寶物失蹤；接受大員無法向上交待，急得跳腳，逕往法租界杜美路軍統辦事處（上海聞人杜月笙舊公館）查問，不得要領，苦無對策，大員在辦事處會客室急得滿頭大汗，將抹汗軟紙揉成一團，隨手拋入牆角落字紙簍，翻眼一看，這字紙簍非木或籐製作，而是一具廢鐵似的圓爐，大員立刻緊張問此為何物？從何以來？軍統處職員漫不經意回答：「這又舊又重的鐵家伙，是昨天從漢奸陳某家抄來的，沒什麼用處，用金造的便好了！暫時放在這裏充作字紙簍，等收廢銅爛鐵的人收買，收回幾個錢喝茶。」大員低頭細視，眼睛冒光，果然是踏破鐵鞋無覓處的寶鼎，連忙辦妥手續，立刻攜鼎回南京覆命。後來當時外交部部長王世杰寫了一篇毛公鼎考究文章，將寶鼎陳列在南京中央博物院，供人參觀。一九四九年，中國內戰結束，國民黨退守台灣，大量故宮博物院珍貴文物遷台北，毛公鼎亦在其中，現藏台北故宮博物院。

後語

毛公鼎深埋地下二千餘年，自從清道光年間出土後私人交替收藏者有陳介祺、端方、張作霖、葉恭綽、陳某富商等，其中有王公大臣、名宦巨賈，有賢有不肖，結局有被刺被炸慘死、有失意官場、有抄家查封，只有陳介祺和葉恭綽比較幸運，有學養和節氣，並得善終，尤其是葉氏一九四一年寫的名聯「高樓風雨，南海衣冠」，表露讀書人的骨氣，值得深思。

毛公鼎歷盡滄桑，出土後經歷太平天國、英法聯軍、中法戰爭、甲午中日戰爭、義和團、八國聯軍、維新政變、辛亥革命、軍閥割據、北閥、日本侵華、八年抗戰、國共內戰等中國近代歷史之關鍵時刻；國寶本身流徙於西安、北京、長春、瀋陽、天津、上海、香港、南京、台北等地，甚至一度淪為字紙簍，險遭廢棄，今天仍存世上，似有神靈庇護。二〇一一年為辛亥革命一百週年紀念，已有人建議計劃舉辦海峽兩岸故宮博物館國寶聯合展覽，作為重頭慶祝節目，如果屬實，毛公鼎必將為熱門選品，更是全球炎黃子孫所樂於見證的盛事。誠心祝願天佑中華，毛公鼎這次能帶來洪流波瀾壯闊，國運昌盛祥和。

《多倫多文藝季》

第五十期（二〇一〇年四月）

國寶《曹娥碑》的一段秘聞——記廣東學者葉恭綽的風慨

東漢年間，宮廷及廟堂音樂歌舞藝術家曹盱遇溺失蹤，其十四歲女兒曹娥江邊哭號十四日後投江尋父，五日後抱父屍雙雙浮江。人民為歌頌及紀念曹娥的孝行美德，除厚葬父女外，立曹娥碑記載此事蹟，碑文共四百四十二字。東晉昇平二年（公元 358 年），書聖王羲之到廟堂書《曹娥碑》留世，原碑已湮滅。著名國畫大師張大千（1899-1983）先世舊藏王羲之《曹娥碑》，屬國寶級文物，上有唐代學者前後題名，包括崔護、崔實等，又有明代項子京及清代成親王題詳跋，珍貴異常，大千不輕易示人。

《多倫多文藝季》曾刊載兩篇佳作：許之遠教授〈佳章在氣〉（第 48 期）和蘇紹興博士〈淺談中國文學上的所謂「氣」〉（第 51 期）。兩篇作品都是言之有物的重份量作品，強調「氣」在佳章的重要地位。筆者拜讀之餘，試從另一角度談談「氣」，就《曹娥碑》舊聞記述一位灑脫、豪放廣東學者的風慨氣質。

葉恭綽的博學多才

葉恭綽（1881-1968），廣東番禺人，字遐庵，晚號遐翁，祖父衍蘭及父佩瑲都以詩詞書畫名世。葉恭綽清末畢業北京京師大學，歷任郵傳、財政、鐵路部長等職。入民國後，任路政司長、交通部總長等職；又創辦上海交通大學，詹天佑、茅以昇等世界著名鐵路、橋樑專家都是他的學生；新中國成立後，葉氏任北京中國畫院首屆院長。葉氏畢生致力文化事業，是書畫家、收藏家、鑑賞家，亦是詞家。張大千最喜愛葉氏畫竹，謂有節氣；他的書法沉雄挺秀，得力於顏真卿和褚遂良。書法家啟功形容葉氏書法：「天骨開張，盈寸之字，有尋丈之勢。」一九四〇年二月二十二日一連八天，中國文化協會在香港大學馮平山圖書館舉辦「廣東文物展覽會」，宗旨是研究鄉邦文化和發展民族精神，轟動一時，這已經是七十餘年前的事，展覽會門口兩旁懸掛葉恭綽書寫四言大聯：「高樓風雨，南海衣冠」（見附圖）。當時日軍侵華勢如破竹，南京、上海、廣州相繼淪陷，香港亦戰雲密佈。葉氏聯文氣魄大，聯意風雨飄搖中沉鬱不卑，處變不驚，使中國人的頭抬得更高，用廣東鄉音，特別是順德話讀來更親切入味。

葉恭綽一生好藏書，記憶力驚人。一九五三年八月十六日，毛澤東曾去信葉氏借書；事緣當時葉氏剛編輯出版《清代學者象傳》續篇，送了一冊與毛澤東。毛氏收書後十分高興，但感美中不足，因此書只有像而未有傳，於是去信葉氏索閱《清代學者象傳》上篇。查該書一九二八年出版，是葉氏祖父衍蘭作品，由他親手鉤摹一百七十名清代著名學者畫像，每位學者附有長篇傳記，詳細記述該學者生平及學術成就，歷三十餘年才完成此著作，為研究清史必具備參考書。葉恭綽收到毛澤東來信後，五天後將原版共四冊送上，毛氏鄭重收藏，並於書首頁鈐蓋自己藏書印「毛氏藏書」。

張大千因賭失國寶

葉恭綽矮短身材內藏俠義心腸，重友情，念舊情，有古人風。一九四五年八月抗日勝利後，上海市一度陷入搶收敵產的亂局，葉氏好友名畫家吳湖帆（1894-1968）忽無故因牽涉一案件遭警備司令部扣查，拘禁於錦江飯店，後經葉氏奔走設法營救始恢復自由，因此吳湖帆日後視葉氏為再世恩人。筆者有小文〈曾充作字紙簍的國寶毛公鼎〉，提及葉氏曾於北洋軍閥時代及日軍侵佔上海時冒險保護國寶毛公鼎。葉恭綽另一義行是與國寶《曹娥碑》有關，更見其急人所急的無私風範。

葉恭綽比張大千長九歲，二人論交始於一九二八年。當年中國教育部籌劃全國第一次美術展，二人同獲委任審查入選各作品。葉張兩家曾居蘇州網師園，前後四年，談文説藝，共數晨昏。後來葉氏遷往附近履道園，二人仍多來往。

大概是上世紀二十年代初期，張大千在畫壇已露頭角，時常往來上海、蘇州，相當活躍。當時張氏二十餘歲，年少氣盛而好勝，沉迷「詩鐘博戲」。詩鐘是盛行清末民初的一種詩歌遊戲，各地都有不同規模詩鐘社活動，詩鐘進行時，參加者隨意取義意不相同兩個詞，或分詠，或嵌字，以競賽形式於規定時間內創作一副對聯，開始與結局以撞鐘為號，亦多有加入賭博成份，注碼可大可小，社鐘博戲盛行時，家家詩鐘社，鐘聲連連，此起彼落，響過不停。熱鬧異常，參賽者爭勝鬥奇，抱膝構思，喃喃自語，嘔心瀝血，怪狀百出，戰敗者輸掉整個月薪金，亦時有所聞。

當時上海文化界前輩江紫塵創立詩鐘社，吸引很多前清遺老及前朝學者來消遣，前輩如陳三立、鄭孝胥、夏敬觀等常為座上客，張大千更樂此不疲，經常與長輩切磋，注碼頗大，但因詩才未及一班前輩耆宿，故每次必輸。某夜大千流連詩鐘博戲大敗，清袋後向社主江紫塵借二百銀元翻本，數局後盡輸，午夜前大千厚顏向江氏借貸多次，前後共負二千餘銀元。這是一筆大數，二十年代北京大學一級教授如胡適、沈尹默等月薪為二百八十銀元，上海一家四口的普通家庭每月生活費約四十銀元。午夜後，大千輸昏頭腦，為謀急於翻本，又央江氏再借二百銀元，且誇下海口，如再敗北，可讓江氏接收國寶《曹娥碑》，而前後約二千餘銀元借款則一筆勾銷。果然大千全軍盡墨，《曹娥碑》歸江紫塵所藏。大千好賭好勝，無端輕易一夕將先人珍貴文物丟棄，懊悔不已，從此絕跡賭肆。

葉恭綽無私的風慨

十年後，張大千母親病居安徽郎溪大千長兄家，大千與二兄善孖（1882-1940），善畫老虎），輪次每週往郎溪侍藥。後來張太夫人病危，一日忽召大千到病牀前，查詢祖傳《曹娥碑》及唐人前後題名，並謂希望展閱，大千聽罷極惶恐，不敢直言賭輸失寶事，以免影響其母病情，只詭稱留在蘇州網師園。張太夫人叮囑其勿忘下星期攜來慰病。大千料難應命，又恐東窗事發，心急如焚，因早聞江紫塵已高價售出《曹娥碑》，不知流落何方。大千灰頭灰面回蘇州，好友葉恭綽及王秋湄來探候大千，並問候其母，大千憂形於色，並痛述輸掉《曹娥碑》而背負不孝之名經過，又謂若能重見此寶，不惜任何代價贖回即送郎溪慰母。葉恭綽聽罷即自言自語：「這個麼？正正由我收藏。」大千獲悉重寶仍在，喜極而泣，忙拉王秋湄一角，請轉告葉氏，鄭重提出三點要求：第一，如能割讓，可以原值購回；第二，如不忍割愛，可以任意揀取大千所藏古書畫，不計件數易回；第三，如兩者不可，乞暫借《曹娥碑》兩星期，供帶往與母過目，然後璧還。王秋湄將大千意思婉轉告訴葉氏。葉氏略思索後笑面拒絕所有三項要求，大千面如死灰，不料葉氏隨即正色謂其一生喜好收藏古人書畫劇跡，但從不巧取豪奪，玩物而不喪志，今日張太夫人病危，欲一睹祖藏寶物，葉某願意無條件將弘揚孝道之《曹娥碑》贈大千，所謂楚弓歸楚，以盡其孝心。大千及其二兄聞言感激流涕，叩首拜謝。三日後，葉氏從上海親攜《曹娥碑》到蘇州，閒話一句，面交大千。張太夫人彌留際及時重見祖傳寶物，老懷安慰。大千一生敬服葉恭綽，每有人提起葉恭綽三個字，就算是正坐着必定肅然起立，以示敬意。葉氏江湖救急，臨難相助的風慨和高風古道氣質，不獨今人少見，古人亦未有所聞。

《多倫多文藝季》第五十二期
（二〇一〇年十月）

高樓風雨
南海衣冠
葉恭綽

葉恭綽行書大對聯（1940年）

李景康校長談述異事

李景康校長（1890-1960）曾談及生平經歷怪事多宗，其中三則，我印象深刻，特意轉述以增讀者茶餘飯後話題。李氏為人忠厚，斷不會無中生有，更不會妖言惑眾，但有關人士所目睹的究竟是幻影，還是實體，確實耐人尋味。

李景康，字鳳坡，廣東南海人，一九一七年畢業香港大學第一屆中文科；師事賴際熙及區大典兩位太史。一九二四年任香港教育司署漢文科視學官，創辦官立漢文中學，後與漢文師範學堂合併，李氏任校長，桃李滿門，香港名人馮秉芬、馮秉華、利榮森皆為其學生，門人都尊稱李氏為李校長鳳坡先生。第二次世界大戰後，漢文中學改名為金文泰中學，金文泰為戰前香港總督，好中國文化，對發展中文教育不遺餘力。一九二六年，李景康積極協助恩師賴際熙及區大典擴充香港大學中文科各種課程及入學試標準，翌年香港大學中文系正式成立。

（一）怪乞兒

李景康生母招氏為南海招銘山孝廉（1789-1846）侄女。招銘山，字子庸，清嘉慶舉人，以著《粵謳》及畫蘆蟹名誦一時，大概是清光緒初年，招氏尚未出嫁，一日在鄉居門外遇一蓬首垢面乞丐，手執樹枝，一面細嚼樹葉，伸手向招氏乞討銅錢一枚，招氏如其所願，乞兒露笑容，留言他日再見後飄然而去。二十年後招氏已入李家門多年，當然已遷離外家，一日在門首又遇見一乞兒，乞兒笑問招氏是否認得他，招氏細視其面，奇怪竟是二十年前那位乞者，更奇怪是面容不改而毫無老態，仍然手持樹枝，並咬嚼其葉。怪乞兒這次求乞一碗炒飯療饑；招氏以傭婦適外出，於是親自入廚炒一碗飯遞與乞丐，乞兒又展笑顏，食畢感謝招氏，正色謂其宅心仁厚，必有好報，說後飄然而去。兩年後，招氏第三次在門外再遇該名乞丐，亦如前手執樹枝及細嚼樹葉，這次問招氏能否再賜一枚銅錢，招氏大方從衣袋擇一枚乾隆銅錢遞與乞丐，乞丐大樂，收下銅錢，飄然而去。招氏心感怪異，仍立門外，遙望乞兒背影遠去，走開約百餘尺後，一瞬間乞丐忽然不見，此時天空一枚錢幣墮下，觸地有聲，落在招氏腳前，招氏趨前撿起一看，竟是剛才施與乞丐的乾隆銅錢！自此以後，該名怪乞兒未有再出現。

（二）巧遇神仙？

李景康幼年在鄉間接受私塾教育，清代末年到香港學習英文，時年十三歲，因受新思潮及革命思想影響，對鬼神仙佛之說，每視為迷信。一九一三年肄業香港大學，更受西洋新學思想影響，更以鬼神仙佛為妄誕。一九一六年，李景康返廣州家渡暑假，一日在下九甫書攤選購殘舊線裝書籍兩冊，名《性命圭旨》，初以為是宋儒理學書，後審視後又發覺是高真人教人學仙之書，他雖不信神仙，只作為日後消閒讀物，暑假後攜返香港大學聖約翰宿舍。

翌年二月，某一日午飯後，李景康在宿舍温習，窗外正下微雨，仍有薄霧，李氏忽然心緒不寧，思潮起伏，無心温習，於是撿出《性命圭旨》閱讀，心中暗想未能親見神仙，書中所言，難以置信；正有此念，眼望窗外，忽見迷濛空際出現一金圈，直徑約一尺半，厚近二寸，隨風飄行，不久飛越宿舍對面興漢道一樓宇天台，一直飛進窗內後，稍減低速度，距離李氏左腳約兩尺，繼續盤旋。李氏驚訝之餘，嘗試以雙手捉拿，但金圈忽然加速飛出窗外，李氏目睹其飛向遠處而失卻蹤影。李氏一時以為所見為幻影，心念除非親見神仙，不足置信，正有此念，李氏忽然心緒紛亂，坐立不安，似有人促其外出，於是披衣張傘，冒微雨出薄扶林道，轉入興漢道，沿路行人絕跡，遙見街尾樹下立一老人家，着破舊衣物，頭戴圓頂舊絨帽，滿面長寸多長斑白鬍鬚。當李氏行近老者距離約二尺，老人家忽然脱帽慈聲説：「請給我一毫子」。李氏察覺該名長者雙目炯炯有神，時仍下細雨，李氏改用左手持傘，右手納入褲袋掏出一毫子，但轉眼間，老人家忽然不見。李氏環顧左右及街道前後，不見一人。李氏忽然心有所悟，莫非自己閱讀神仙圖書，感召仙人出現，與自己遊戲溝通？可見天地之大，神異之事，並非科學能夠圓滿解釋。

（三）見鬼？

一九二五年，李景康自廣州返香港，任教育司署漢文科視學官，工餘義務任精武會其中一名幹事值理，李氏因教育司署工作繁忙，不常出席精武會值理會議，因此與其他值理不熟稔，亦多忘記他們姓名。某一天，精武會職員鄧君親到教育司署李氏辦公室，告以精武會青年值理盧偉超不幸病逝，又謂同人已定下星期日上午十時在堅道精武會會所舉行追悼會，李氏答允到時必會出席。李氏居九龍，到了星期日，刻意提早乘渡輪過海，以免遲到，大約上午九時半，李氏自中環行上堅道，大概距離精武會會所約二百餘尺，迎面行來一名青年，皮膚白皙，面型瘦削，髮邊明顯有白粉痕，似是剛從理髮店出來。李氏察覺該青年人頗面善，但一時忘記其姓名，心知是精武會其中一名值理；二人步行接近時，李氏先點首為禮，青年亦微笑點頭回禮，然後由堅道繼續向東行，李氏則向西行，不久步入精武會會所禮堂。眾人在靈堂前三鞠躬，大殮後瞻仰遺容。李氏赫然發覺躺臥棺內者竟是十餘分鐘前堅道遇見皮膚白皙的青年人，死者髮邊仍留有遺體化粧之白粉痕，李氏大為驚訝，是日天氣晴朗，陽光普照，而死者盧君竟於追悼會前出現路上，是否意味行禮時辰未到而先行外出漫步散心？

《多倫多文藝季》

第五十一期（二〇一〇年七月）

一個公公的故事——觸動心靈的畫家林風眠

引言

是林風眠的名字先吸引我，「林中乘風孤眠」，是何等浪漫，可媲美曹雪芹在《紅樓夢》描述史湘雲醉眠花間石凳，四面芍藥花飛了一身，一群蜂蝶鬧穰穰的圍着她。第一次遇見林風眠是一九八七年，地點是香港藝術中心，他應邀參觀弟子吳冠中的回顧展，清癯文靜，衣着簡樸，謙謙君子，全無洋味，眼前的八十七歲老公公，就是起源於十九世紀法國印象派的殿軍人物。林氏很少提及他的身世，讓我們仔細閱讀他於一九八九年在香港寫的簡單而深情的〈自述〉：

「我出生於廣東梅江邊上的一個山村裏，當我六歲開始學畫後，就有熱烈的願望，想將我看到的、感受的東西表達出來；後來在歐洲留學的年代裏，在四處奔波的戰亂中，仍不時回憶起家鄉片片的浮雲，清清的小溪，遠遠的松林和屋旁的翠竹……。」

彌敦道樓上斗室的麗人

林風眠的畫作不容易欣賞，他的畫不是為每一分鐘都忙碌的人畫的，要靜中用心靈探索才能領略畫中的感情和溫馨的安撫。筆者從未藏過林氏作品，因為付不起畫價，一九八二年，香港蘇富比拍賣行拍出一幅「雄雞」小品，落鎚價是港幣六千元，到九十年代初在一藏家處看到另一幅「雄雞」，肯定是真跡，心怡已久，忙咬咬牙問價求割愛，藏家索價四萬港元，一個仙也不減，我只有放棄，現在售價更高。

一九七七年底，林風眠獲准由上海來香港定居，初時生活清苦，由其堂弟招待獨居九龍彌敦道中僑百貨公司職員宿舍一斗室。為應付生活，林氏作了一批畫就近由中僑工藝品公司代售。我那時經常路過中僑，已注意多件作品放在櫃旁畫桶，並不起眼，我依稀記得畫作是四、五千港元一幅，我沒有買，現在我罵自己。數月後，林氏在上述畫廊舉行來港首次畫展，其中一幅「四美圖」(27 x 27英吋)，非常搶眼，美女的修眉、鳳眼、文鼻，襯出鵝蛋臉，氣質高貴，似是不食人間煙火仙子，有古典及現代美，該畫標價一萬港元。當時香港一名主任級公務員憑個半月薪金便可買入此畫。這一幅畫重現在二〇〇四年十一月香港蘇富比的拍賣會，連佣金高達五百二十萬港元拍出，是香港特首一年多總薪酬，漲幅達五百多倍。當年我親眼目睹「四美圖」在中僑展出，我未有節衣縮食購買，因此我走寶了；幸虧我看得開，否則會直奔往新界跳青馬大橋！現將該畫印在本文供讀者欣賞。

孤雁高飛

林風眠(1900-1991)，生於廣東梅縣白宮鎮閣公嶺村，初名鳳鳴，後自己改名風眠，他曾風趣的對人說：「鳳不叫了，在風裏睡覺啦！」。祖父為石匠，父親為民間畫師。五歲時，他母親因為私人感情問題為鄉村父老不容而離家失蹤。後來父親討了繼室，從此林風眠便跟祖父在山上生活，並幫手打石碑。坎坷的童年形成林氏獨立而堅毅性格，故鄉一草一木給他印象至深；六十多年後，他與老友傅雷(法國文學專家，是鋼琴家傅聰父親，文化大革命時自殺死)多次提起「故鄉梅縣風景異常美」，因此，他的畫作如飛雁、小河、白鷺、蓮花、山居等都有故鄉的影子，畫面總帶出希望和生機，文化大革命時，造反派妄稱他的作品為頹廢派，這是十分無知。

一九一九年，十九歲的林風眠如孤雁高飛，遠赴法國勤工儉讀，苦學西洋畫，他身處巴黎的一段日子，正是人類藝術的黃金時期，馬蒂斯、莫奈、畢加索等大師都同時在那裏，林氏獲啟發良多。一九二〇年代正當廣東改革派畫人高劍父、方人定等與廣東傳統派畫人潘龢、趙浩公等內耗於多番激烈筆戰爭論中國新舊畫派，原來年紀輕輕的廣東人林風眠早已在歐洲如饑似渴的吸納西方藝術精髓，努力思考和實踐改革八股式的中國畫。

一九二三年，林風眠與一德籍奧大利女子結婚，翌年其夫人不幸難產死，嬰兒亦夭折，林氏大受刺激。兩年後，與一法籍女子結婚，誕下一女。同年冬，二十六歲的林風眠應教育家蔡元培聘請偕家人回國任北平國立美術專科學校校長兼教授。一九二八年，林氏創立杭州國立藝術院，任校長兼教授。解放後，林氏移居上海。一九五六年，其夫人及女兒獲准出國到巴西定居。他們母女與林氏在海外重聚已是二十二年後事。

孤雁受困與南飛

一九六六年，中華大地倏忽捲起一場史無前例的政治超級大風暴、大海嘯災難——文化大革命，眼見大難臨頭，林風眠未能辨別什麼題材的畫作會招惹大禍，違心自願將一千餘件作品分批放在浴缸，溶爛後然後沖掉，後來又秘密燒毀若干幅，大半生心血，化為烏有。我們可以想像老人毀畫時的揪心瀝血，恍如握殺親兒。同年九月，林氏遭造反派抄家，更多次受粗暴鬥爭，雙手被縛背後，屈辱扒地進食如狗隻。林風眠六十九歲至七十三歲（1968-1972）是在上海市第一看守所渡過，這看守所實則是一所牢獄，就是著名的提籃監獄，中日戰爭勝利後漢奸汪精衛的太太陳璧君亦被關押在此。

一九七二年，林風眠獲「教育釋放」，為求自保，深居簡出，托言家中養病。二年後，「四人幫」仍不放過林氏，批判其為「黑畫家」，老人更如驚弓之鳥。一九七七年，已屆七十八歲高齡的林風眠獲准出國探親，臨別用「飛雁」為畫題分別以掛號信贈畫與學生吳冠中及老友書法家黃苗子（郁達夫姪女郁風的丈夫），什麼都盡在不言中，林老如孤雁向南急飛香港。數年間由中僑百貨公司宿舍遷居北角太古城，生活明顯好轉。在香港的一段日子，每提及塞尚、馬蒂斯等法國印象派大師，林氏必眉飛色舞，但若有人問及「文革」受辱的一段極陰暗日子，他的面色稍變，但不激動，只頻頻搖頭不語。九十年代有人建議在杭州建立林風眠紀念館及立銅像，又有愛國企業家全力資助，林氏反應冷淡，認為個人榮譽不重要，反建議將資助培育人材出國深造。後來又有人提議將款項用作林風眠獎學金，林氏亦不發熱心，只謂就算成立獎學金，亦應由他自己掏腰包，一直到一九九一年八月十二日以九十二歲高齡病逝香港、林風眠再沒有重回他那「風景異常美」的故鄉梅縣山村，也沒有重遊他藝術創作的故地如北京、重慶、杭州和上海，生前最後遺言為「順其自然」，是他一生追求的畫意，更深符合儒釋道三教大意。

後記

林風眠的確能做到終身以畫藝觸動人的心靈，以「精」與「勤」教育下一代。據說他初畫仕女，接連畫了一千多幅都失敗，後來不斷改進才能掌握線條和佈局。每畫成一幅畫，他必掛在壁間一段時間，反覆觀看及思考，若察覺有缺點，必多番修改，直至滿意才面世，如修改不來或一錯再錯，他寧可撕毀重畫，不讓一張他自己不滿意的作品留傳世上。林老一生忠於藝術，為中國畫的改革和創新作出輝煌業績，影響深遠，我試列舉他幾名學生的名字，包括名畫家李可染、吳冠中，以及飲譽海外的著名畫家趙無極、朱德群、趙春翔等，便可見林老的功力，他們每一個都從老師學到什麼是真正藝術家的一生，借用林風眠自己極形象化的描述：

「一個藝術家的一生，像蠶兒吐絲結繭，然後自己咬破繭絲，美麗的彩蝶才能出繭自由的飛翔。」

中國有幸二十世紀出現齊白石、黃賓虹、張大千、徐悲鴻、林風眠等大師級畫家，他們都大有資格進入世界級第一流藝術家之列。林老做到一生專注藝術，成功融匯貫通中西畫藝，人品畫品俱高，我肯定將來藝術歷史對他的評價更高。每當靜中欣賞他的「飛雁圖」，彷彿看見孤雁正笑眠風中，編織着那彩蝶夢。

《多倫多文藝季》

第四十一期（二〇〇八年一月）

林風眠《四美圖》27 x 27 英吋

一個婆婆的故事——從嚤囉街談到祝枝山草書卷

前言

這是一件千真萬確的事實。一名帶着微醉、踽踽獨行在嚤囉街的婆婆，竟然時空交錯的將明代清代及現代的事物交織在一起，成為文物界茶餘飯後的美談；有關文物的來源和物主的身世仍是一片迷離。

充滿希望的嚤囉街

香港上環嚤囉街已有逾一百五十年歷史，皇后大道及荷里活道還未落成便有這條街道。嚤囉街隔鄰的水坑口街，英文名是"POSSESSION STREET"，直譯為「佔領街」，是一八四一年前後英國軍隊最初登陸港島地點；當時有一山澗流經該處入海，因此這一帶稱「水坑口」。嚤囉上下街大概是英國佔領香港數年後出現，現在可以由皇后大道中、荷里活道或水坑口街轉入嚤囉街。「嚤囉」是香港人對印度人的俗稱。十九世紀末，印度仍為英國殖民地，不少印度人來香港謀生，除少數比較富裕商人，很多任職軍人、警察、看更或開設小食店。早期印度人大多聚居，觸目都是纏頭白衣人，因此香港人習慣稱此兩條街道為「嚤囉上街」和「嚤囉下街」，反而很少人認識英文原名"UPPER LASCAR ROW"和"LOWER LASCAR ROW"的來歷。

後來居住在嚤囉街的印度人逐漸遷移香港其他地區，原來的簡陋店鋪改由本地人經營，慢慢轉形為古董街，包括買賣字畫、古董、舊書、鐘錶、傢俬等舊物，其中有真貨，亦有假貨。舊屋改建後，嚤囉街一帶面目一新，仍然吸引眾多尋寶者到那裏閒逛，亦有附近的上班一族，習慣每天至少一次在那裏尋尋覓覓，志在一索得寶。盛傳上世紀六十多年代，有人在嚤囉街攤檔分別以數十元購入唐代三彩馬，宋代絹本團扇，明代四公子之一文徵明畫的青綠山水幅。筆者的大學同學王君，在上環某官校任職校長，他告訴我曾看見一收買佬將一麻包袋子畫交給嚤囉街一檔主，因為大家正在議價，王君不敢貿然插口問價，但察覺當中字畫竟然有清代八大山人書法、鄭板橋竹石圖等，料是大戶人家物主過身後，後人不識貨丟棄在後樓梯或由佣人轉賣與收買佬。這些文物傳奇故事，聽來真教人神往，假若親歷其境，肯定心跳不正常，雙手發抖！

最近筆者無聊閒讀一本由駐香港的英國老兵寫的傳記，內容赫然提及嚤囉街。他生動描述一八七五年由皇后道北部步入嚤囉上街的一個彎角，當時俗稱"SAM SHU CORNER"（我猜度中文是「三樹角」，因為附近有三棵細榕樹），又介紹「三樹角」有多間簡陋小食店，都販賣一種勁烈三蒸米酒，很多駐英兵及來自歐洲低下層人士都喜愛來享受這米酒，更以俗稱的地名冠酒名為"SAM SHU"（三樹酒）。老兵謂飲三樹酒後，飄飄欲仙，尋且頭痛欲裂，他生動的形容如果以三樹酒比較西洋拔蘭地酒，後者簡直是淡而無味的一杯清水！可見三樹酒奇烈無比。

神秘的婆婆

二〇〇七年農曆新年前數天的中午，有位七十歲以上的婆婆乘「的士」來到上環，在荷里活道文武廟附近下車。她衣着光鮮，戴一對綠玉耳環，相信是來自大戶人家，頭髮銀白，行路歪斜斜的，似是飲了些酒，右手拿着一雨傘，當作拐杖，左臂挾着以藍布包裹的一卷東西。她對附近環境不大熟識，東瞧瞧、西看看便漫步朝嚤囉街方向前進。氣温雖低，冬日灑下暖人陽光，更顯出婆婆酒後泛紅的臉龐。她首先進入嚤囉街口的一間小規模古董店，對年約四十歲的店主說：「老板，我這裏有一卷古老字，不知你是否有興趣收買？」店主對書法認識有限，隨口問是誰寫的。婆婆答是祝枝山，有數百年歷史，願意以八百元（港幣）賣出。店主不知誰是祝枝山，直覺婆婆帶來的無可能是好東西，更無意揭開藍布觀看。便不耐煩的請走婆婆。婆婆滿不是味道，向右走了三五個舖位，邊行邊喃喃自語，原本紅的臉更泛紅。隨即進入一賣舊字畫的小店舖。老板是老行專，對字畫有一定認識，剛巧走開往附近茶樓飲茶吃午飯，只留下十八歲兒子看舖。婆婆對年青人說：「小伙子，我有一卷舊書法，你看看是否有興趣買入。」年青人正專注玩電子遊戲機，眼尾瞧着行動古怪的婆婆，肯定帶來的是垃圾貨，連價錢也不問便喝走婆婆。婆婆茫茫然拐一小彎行到街角，走進地庫的一間小型舊傢俬舖，地點就是一百多年前「三樹角」附近賣米酒的小食店。婆婆對年約五十歲的店主嚷道：「老板，我這裏有一卷祝枝山字，是我家老爺生前最欣賞的，願以八百元出讓，保你賺錢，因為我們快要搬家。」店家揭開藍色裹布，發覺整個卷高非常殘舊，有破洞蟲口，又有黏手水漬。整個卷高約二十厘米，闊約三百厘米，屬大件頭。店主略認識祝枝山，一心以為是石印本，原想推掉，但轉念就算是印本，花八百元是值得購入，於是付款打發婆婆走，婆婆臨行時說家裏還有很多舊物，包括金元寶，他日會再來，然後右手拿着雨傘，原路緩緩行返荷里活道，截了「的士」，迅速離去。

店主隨意將買入的書法卷丟在一旁，下午閒時才在燈下細看，仍然是摸不着頭緒，有幾位老主顧上門時聚着研究，但不能下結論。此事一傳十、十傳百，當日黃昏已有很多嚤囉街尋寶客及行家來爭看原物，人人有意見，熱鬧非常。第二天，店舖未開，已有七、八人聚在門口，謂要研究明朝書法。店主恐怕書法卷遭「分屍」，索性將整卷書法分段影印，然後以尼龍繩張掛讓人近距離接觸。有人嚷着是假貨，有人拍胸口說是真迹：有好事者建議交小拍賣公司拍賣，又有人膽粗粗主動願以十倍來價，即八千元，央求店主轉讓。數星期後，有人介紹店主在一國際拍賣行拍賣該卷書法，估值三十萬，結果拍出價連佣金接近八十萬元，買家是中國藏家。筆者當時曾在拍賣預展細看這件書法，發覺無論書法、佈局、用紙、蓋章、印色、卷前引首、題跋資料、藏章等都引證是祝枝山真迹。整個手卷，筆墨淋漓，神采飛揚，不單是真迹，且是精品。假若以重金聘高手精裱此手卷，清除水漬，修補破洞，然後投入拍賣市場，頗有機會拍出逾一百萬元。

草書高手祝枝山

祝枝山（1460-1526），名允明，江蘇蘇州人，外祖父為明代著名書法家徐有貞。祝枝山五歲能寫近尺大字，九歲作文章有奇氣，年青時順利中舉人，但七次京試都失敗，受打擊甚大，形成性格不羈，精神上傾向道家，自稱「枝山道人」。曾戲與友人唐伯虎扮作乞丐，雨雪中街頭賣唱討錢，然後在野寺買酒尋醉。他具才氣，是飽學之士；懷才莫遇，反而激發他將感觸寄情書法，尤以狂草頗有自己面貌。他的草書簡單數筆，有時二字緊扣，筆法不苟，佈局奇趣，為明代書法最高峰。五十五歲時，祝氏獲派往廣東作興寧知縣，頗得民心，大概上述婆婆手上的草書卷是祝氏這時期作品，寫引首和題跋都是明末清初廣東名書法家及藏家，證明該字卷確曾流入廣東。

後語

帶着微醉，拿着雨傘，挾着明代草書卷的神秘婆婆是什麼人？究竟是什麼驅使她步入一條古老街道？難道是百多年前嚤囉上街轉角處小食店賣的三樹酒餘香吸引着她？文物散聚，似有天意。婆婆當日曾先後進入三間店舖，第二間的舊字畫店主是識貨的，假若不是外出午飯，只留下沉迷電子遊戲機的兒子看舖，那卷草書肯定是歸他的，因此他後來知道走了大寶，氣得連兒子的電子遊戲機也摔破。以八百元換得明代祝枝山草書卷一事成為佳話美談，婆婆亦沒有再出現。不過有好一段日子，流連嚤囉上下街的尋寶者，每逢遇見白髮婆婆，只要她手上拿着什麼東西，他們總會不自覺異常興奮地留意她的舉動和去向！

《多倫多文藝季》
第四十二期（二〇〇八年四月）

中文教育先驅者盧湘父談靈異事

香港教育界人瑞盧湘父（1868-1970）

一百多年前，香港、澳門的塾館教育（俗稱卜卜齋），盛極一時，其中陳子褒（1862-1922）和盧湘父，在啟蒙教課和辦學有出色成績。盧湘父，廣東新會潮連鄉人，二十歲入萬木草堂師事康有為，與梁啟超及陳子褒為同學。一八九九年赴日本橫濱大同學校任教席，翌年歸國，任澳門張氏家塾專席教師。一九〇五年，創辦湘父學塾於澳門。民國成立後，遷校香港鐵崗，後遷中環堅道三十一號（後來真光小學校址）。一九一六年，遷加冕台三號開辦女校，以西摩道二十九號為男校。一九三四年，湘父學塾改為湘父中學，聲譽甚高，至一九四一年尾日治時代才結束。盧氏一生大部份時間從事教育，培養大批教育人材，何艾齡（何東長女）、張榮冕（葛量洪師範學院院長）、莫儉溥（敦梅學校校長）等都是他的學生，薪盡火傳，綿續不斷。盧氏熱心弘揚孔教，為香港孔聖堂創辦人之一，天性好行慈善，熱心公益，篤信因果報應，一百零三歲離世。

盧湘父對靈異的看法

盧湘父兒子盧國洪曾任教香港葛量洪師範學院，盧國洪夫人是筆者小學老師，到筆者在社會工作時仍有來往，因此與其家翁盧湘父認識，屬忘年交。猶記有一次在盧氏家中獲睹其業師康有為送他的墨寶橫幅「敬教勸學」。盧氏及其子媳已逝世多年，不知此珍貴墨寶是否仍在世間。

盧氏多次提及年青時與梁啟超隨康有為學習之趣事，現在回憶，印象模糊，反而有關他經歷多宗靈異之事，因為有作筆記簡錄，印象深刻。盧氏是一傳統學者，尊崇孔子學說，避談鬼神，專講人道，服從孔子教訓：「務民之道，敬鬼神而遠之」；對鬼神之有無，避免下斷語，正如子路問孔子有關鬼神事，孔子轉移方向答：「未能事人，焉能事鬼？」盧氏謂自從目睹多宗鬼上身，便寧可信其有。其實宋代文學家蘇東坡（1036-1101）貶官黃州時，喜聽當地人談鬼，採取「姑妄言之，姑妄聽之」態度，似現代天空小說或電視劇集。筆者記錄以下四宗盧氏親歷之靈異事，目的在供談助，讀者諸君，萬勿視為散播迷信，甚至「惑世誣民」，聊作「姑妄聽之」可也。

一、蓮溪

民國前盧湘父鄉間舊居在新會潮連鄉盧鞭村之樓前坊文林第，對面是族侄蓮溪住宅。蓮溪出身富戶，不愁衣食，染食鴉片煙惡習，壯年已患重病。一夕晚飯後，蓮溪忽然一反常態操國語（普通話）頻說：「我來抽大煙，我要抽大煙。」又逕自開鴉片煙盅，熟練揀煙膏，自燒自吸，狀極陶醉說：「久未試此佳味。」蓮溪家人大驚，因為他患重病已久，素來抽大煙需人協助料理，只張口吸食；今竟然自己操作，而且一改鄉音說起從未接觸之國語。蓮溪母親心知是遊魂附體，連忙細聲問：「來者何人？所為何事？」蓮溪仍以國語答：「我偶經此地，喜聞鴉片煙味香濃，故亟欲一試。」蓮溪母親又追問兒子究竟現在何處。對方答：

「剛剛外行，不久便返，不必多掛慮。」稍後蓮溪如夢初醒，家人忙問剛才發生何事，蓮溪謂全無印象，數日後病逝。有人以為凡人久病將死前其魂每離身，所謂魂不守舍，遊魂野鬼便乘機入侵，並藉其軀體作事。

二、鳳頭婆

盧湘父年青時，家中有一老傭，其鼻端生一小肉瘤，因此各人都戲稱其名為鳳頭婆，反而無人知道其真姓名。一天晚上，鳳頭婆歸家入廚工作後不久突失常性，痛哭流涕，改平日老婦人語調而操男人語，厲聲說：「我已餓了很久，你竟然惡意搗亂，使我損失慘重，我誓不罷休。」說罷又大力椎胸痛哭。盧湘父母親知道是鬼物作怪，忙用手指力掐女傭中指，因俗人相信凡鬼物附人身，如以手指掐其中指，鬼物便會作答。鳳頭婆果然作男人語答：「我是何頭村何某，久餓未得一飽，今夜在瓦燈棚附近閒蕩，有人以酒食及金銀財寶孝敬我，她行路不小心將食物財寶踐踏踢散，認真可惡，請問秀才八奶，此仇應否報？」盧湘父之父親為秀才，家中行八，鄉間人多尊稱其妻為秀才八奶。盧湘父母親聽聞此熟稔稱呼，知道附身者為鄉里，而且可以理諭，忙解釋此為小事一宗，請勿動怒，並答允明夜賠還各物。對方說：「多謝秀才八奶，但尚有幾個朋友都蒙損失，應通知他們，因並非我個人損失。」盧母問如何週知各人，對方說：「在門口燒一炷香稟告，必可了事。」盧母隨即在大門外誠心上香，口中喃喃有詞，鳳頭婆忽然甦醒，對剛才發生之事，一無所知，但臥病數天，精神明顯異常疲乏。

三、冥婚一：紅雞蛋

廣東新會有鬼婚雜俗，如家有幼童夭折，若干年後，家人會安排選擇另一戶年齡相若之過身女兒陰間結婚，是謂冥婚。其實中國唐代早已有冥婚之制，唐建寧王倓與興信公主第十四女冥婚，可見帝王之家與民間都有此風俗。盧湘父憶述其第三女名楚璧，三歲時在鄉間病逝，二十年後，盧氏為她擇婚，親家是南薰里區氏亡兒，年齡相若：雖是冥婚，兩親家仍以戚誼往來，一九一六年，盧氏已遷往香港加冕台三號，某一天為其第六女楚婷在大宅擺滿月酒，歡讌親朋，又廣派紅雞蛋，鄉間五弟婦容鳳毛亦有來香港湊熱鬧飲喜酒。散席後眾人圍桌閒話家常，突然大廳電燈忽明忽暗，容鳳毛面色大變，有鬼物上身，操少女聲說：「你們好！你們高興團聚，為何單獨遺留我沒有紅雞蛋吃？」眾人驚問是誰，對方答：「我是楚璧，昨天才跟隨五嬸（即容鳳毛）從鄉下來。」盧湘父妻忙說：「既然已來香港，明天再補設酒食給你，切勿驚擾五嬸。」不久容鳳毛轉清醒，對適才發生之事，完全無印象。翌日，盧氏家人在門外為楚璧設紅雞蛋及其他祭品。原來盧氏凡家有喜事，例必托鄉間長嫂通知各親戚，並送人情，包括冥婚親家。此次盧氏六女畫酌，因為有風雨關係，其長嫂在鄉間為省事及恐妨冥婚親家區氏破費，故未有送上人情，誰知楚璧有靈，竟演出此一幕向父母索食紅雞蛋！

四、冥婚二：大蝴蝶

盧湘父侄名國儀（五弟徽五之長子），約二十歲在鄉下病逝，葬於香港雞籠環，期滿由其弟國安攜骨殖歸葬鄉間。國安辦完重葬事後預備回香港。當時日本已經進軍華南，新會與香港已無通航，往香港須取道廣州。國安在鄉間河邊預備乘船往廣州，時間尚早，故在附近流連，見道旁有老婦販賣木瓜，於是購兩個木瓜作回港手信；老婦沒有供應水草繫瓜，時攤檔旁有一婦人，謂家中有水草，並即時回家取來為國安繫瓜。不料國安回香港後得病，夢中多次見其亡兄國儀現形，自言想結婚，請國安代安排一切，且謂在陰間已有熱戀多年之情人，只需向日前賣木瓜老婦尋訪，便知一切。國安隨即通知時居鄉間盧湘父夫婦，再通過三嬸，查悉河邊販賣木瓜老婦居夏園巷，而當日仗義贈送水草之婦人區氏果然有一亡侄女，年齡與國安相若。於是盧區兩家相見後為亡兒女主持婚事，男家具禮餅一百，聘金三十元，女家亦略備嫁粧，設主位於盧家。冥婚之夕，有為新郎作主位加冠儀式，尚算熱鬧。夜深時忽然有一大蝴蝶飛入，在神樓眾神主牌位上下飛翔，眾人嘖嘖稱奇，最奇是那大蝴蝶後來棲伏於新郎國安主牌中姓名上，良久不去。後來飛去復返，又是伏在同一位置，家人驚異不已；盧湘父亦在場目睹，認為是其侄國安冥婚顯靈，歸來向家人道謝。

《多倫多文藝季》
第四十三期（二〇〇八年七月）

閒話假畫

前言

文物收藏是一高雅嗜好，除會增值外，更可以陶冶性情，加強學養。譬如以踏入出版十週年的《多倫多文藝季》為例，它在中文雜誌歷史上已有一定地位，假若讀者藏有第一期創刊號至目前第三十八期，這是非常難得齊全；雖然是非賣品，但整套《多倫多文藝季》文化遺產是無限價的，現目經濟估值等同一張來回多倫多香港直航經濟客位機票是大有可能。收藏越久遠，其價值越高；將來甚至增值到商務客位，甚至頭等客位價目絕不稀奇。

中國現代寫實主義大師徐悲鴻（1895-1953）在一九三九年創作的油畫《放下你的鞭子》在香港蘇富比「當代中國藝術」拍賣，經過激烈競投下遠超底價拍出，底價是港幣三千餘萬元，成交價為七千餘萬港元，打破世界拍賣中國油畫紀錄。但凡物品有經濟價值，直接的説，凡轉手而獲高利潤者，都會有偽作出現。早在春秋時代，已有人以砂石冒充夜明珠或寶石圖利。晉代王羲之寫《蘭亭帖》，當時就有偽作。至於近日到香港自由行人士以鑽石錶價買鑲玻璃手錶，香港人北上買高價金錢龜，回來發覺是芋頭，這是等而下的欺騙行為。筆者現羅列數宗當代藝林有關假畫事跡，以便引起讀者對鑑別字畫的興趣。

富商賣樓買假畫

十多年前認識一位香港富商，他熱衷藏畫多年，藏品多為近代名家作品，包括國畫大師如齊白石、傅抱石、高劍父、高奇峰、林風眠、張大千、李可染、吳冠中等，都是由多名不老實估畫者輪流從大陸親自交來，甚至吹噓一些是從博物館流出者，以謀取高價。富商買畫上癮，如沉溺吸鴉片煙，竟賣去兩層樓宇，先後購入二百餘件字畫，大都是未裱大幅作品，並花巨款裝裱整批畫，請名師攝影諸作，後由出版社印製豪華版畫冊，廣派各親友。有一次，富商雅興大發，在會所設宴招待多位好友，筆者亦列席。席間富商大談其藏品之「精」、「真」、「新」，席後更邀請各人到其豪宅觀賞珍藏。當主人珍重將全部藏品從內室拿出來，筆者赫然發覺除了一件只值港幣二千元的上海小名家作品外，難得其餘全部都是劣品之偽作。我不忍當面揭開真相，誠恐怕富商飲飽食醉後承受不了極壞消息引致血壓驟升昏倒，筆者當時腦際只泛出兩層洋樓已化作兩百餘幅惡劣偽畫。

國民政府主席珍藏鄭板橋假畫

林森（1867-1943）在抗日戰爭時一度出任國民政府主席。他在前清時已薄有功名，為人附庸風雅，喜藏字畫，尤好清代揚州八怪之一鄭板橋（1693-1765）作品。林主席藏有鄭板橋字畫百餘幅，頗引以為傲。一日工餘邀請喜畫梅花及鑑賞文物的好友洪寬孫（字瞿叟）到其官邸欣賞所藏鄭氏作品。洪氏恭敬審視後，面色一沉，林主席以為洪氏一時被精品震撼，忙問觀後意見，洪氏唯唯諾諾，未敢多言。林主席逝世後，洪氏在上世紀六十年代手書一件行書幅記載此事，坦言謂當年所見鄭板橋全為偽作，無一倖免。清末民初時，揚州一帶偽造石濤，八大山人及揚州八怪作品，水準頗高，統稱「揚州片」。可憐林主席逝世前一直未知珍藏多年之鄭板橋字畫全為揚州片贋本。

張大千亦造假畫

被譽為五百年來第一人的國畫大師張大千（1899-1983）之畫價近年高漲，藝術品市場亦曾有假張大千字畫出現。原來張氏年青時已才華暴露，常以自己臨摹名蹟的畫作測試畫壇前輩，他尤其精於摹倣梁楷、石濤、八大山人等作品，幾可亂真，連老前輩如黃賓虹（1864-1955）、羅振玉（1866-1940）、葉恭綽（1881-1968）、陳半丁（1877 - 1970）、吳湖帆（1894-1968）等都曾走眼，不能不承認大千的功夫到家。

張大千近二十歲時初到北平，聞說前輩畫家陳半丁新購一冊石濤山水，很想參觀。有一天，陳氏在家宴請一班友好，志在炫耀新藏「石濤山水畫冊」，大千亦不請自來。陳氏以大千為晚輩而招呼疏慢，大千心感不悦。飯後陳氏小心翼翼捧出石濤畫冊，面有得色，大千一見畫冊簽題便知是自己所作，衝口高聲道：「不用看了，這是我寫的。」眾人不信，陳氏更不信，大千信口背誦畫冊每頁之畫面布局、落款、用印等，翻查後全部無誤，證實是大千臨摹，場面氣氛當然非常尷尬，陳半丁更面目無光。後來大千多次提及此事時說：「只是當時少年氣盛好勝，太過份了。」其實大千年青時在畫室備有照相機，每將借來之名畫拍攝，以備留為作偽的底本，他多利用天未光前挑燈作偽畫。名畫家謝稚柳（1910 - 1997）是大千年青時好友，謝氏追憶早年在蘇州網師園探望大千，在清晨五時看見大千以剪刀將一頁石濤山水冊頁剪開，再在當中接入一段舊紙，加添筆墨後天衣無縫，重裱後由一冊頁變作一橫幅，後者價格肯定比前者高。現在一些博物館所藏石濤、八大山人之畫蹟，內有大千之手筆，絕不為奇。

後記

前文已提及名畫有價，偽作便會出現，這情況已有長遠歷史，明代文徵明的畫作在世時已很難得，當時蘇州一位畫家朱子明，專偽造文徵明畫，幾可亂真。明代董其昌畫作亦甚難求，很多士大夫乞求其墨寶，大都是董氏弟子如陳眉公、趙文康代筆。晚年董氏每有新作，每由其家人以市面偽作對換，將真蹟收起作家傳，善價而沽。董氏亦隻眼開隻眼閉，欣然在偽作上題詩署款，形成「畫偽字真」的混亂局面，因此辨別董其昌真蹟特別困難。

書畫鑑定已成為一專門學問。嗜畫者若以平價購入一幅真名畫，可算是「食仙丹」，滋味無窮，通體爽透；若以稍高價購入一幅假名畫，可算是「交學費」，心有微憤，偶發噩夢；但若以天價購入一幅假大師級畫，明顯是「食錯藥」，東窗事發後，輕則患上失眠，重則產生極大燥鬱。

《多倫多文藝季》
第三十八期（二〇〇七年六月）

廣東順德自梳女

廣東順德自梳女是一頗獨特群體，她們的起源、心路歷程、自梳儀式和種種習俗，都引起廣泛思考。筆者童年同屋僱一順德自梳老傭蓉姐，她曾帶我到香港上環擺花街一間姑婆屋玩。三房一廳約六百方呎的唐樓，由多名自梳姊妹合資購買，是患病、辭工，或遭辭退後的棲息所，亦是難得假期聚首地。我們到訪時，有自梳女向年長的蓉姐敬茶，我亦獲分糖果。蓉姐一生服侍兩代中葡混血家庭，懂得少許英語，每逢孩子們太吵鬧，她會用帶順德鄉音的英語喝罵，一句「YOU SHUT UP, BOYS」，頗有震懾作用，更收其他女傭前高人一等之效。蓉姐樂觀而莊重，嘴角間流露二次大戰後刻苦生活的痕跡，產生一種不可思議的生活力量。是蓉姐告訴我，北角七姊妹道的命名來自那裏生活過七位金蘭自梳姊妹，後來其中一名遭父母逼婚，引致七姊妹齊縛手足一起滔海身亡。是蓉姐多次自豪告訴我，澳門咀香園杏仁餅是順德自梳女始創。是蓉姐啟發我什麼是忍耐、知足、順服和念舊。今天隨意寫這篇小文章，自梳女的音容——挽髮、素裝、烏衣、木屐——總是縈迴在我腦際。

自梳女的來源

在封建時代，不少女性不甘盲婚啞嫁，矢志不嫁，或者與女伴互相扶持以終老；大概明代中後期（十四、十五世紀），廣東南部便有自梳和不落夫家的特殊習俗，由順德開始，蔓延至珠江三角洲附近新會、台山、番禺、廣州一帶，而以順德為最普遍，一直到清代末年至民國初年達到高潮。順德盛產蠶絲、甘蔗及塘魚，需要大量勞動力。不嫁少女多從事採桑、養蠶、繅絲、種蔗、養魚等。自梳女確能獨立自強，過自給自足生活。她們力求掌握自己命運，獨身終老，並且盡力無償資助兄弟和侄輩，她們傳留很多歌謠，訴盡結婚帶來種種不幸，包括丈夫虐待、丈夫遺棄、生育痛苦、子女夭折或不肖、翁姑刻薄、捱窮捱苦等，輾轉宣傳結婚遺毒。

自梳儀式

封建社會時代的未婚少女，都留着長辮子，到結婚前夕，由母親或女長輩替其挽成髮髻。順德自梳女有一套流傳已久的自梳儀式，該儀式通常在姑婆屋舉行，自梳女先預備新衣鞋襪、妝繞紅頭繩、活公雞、燒豬肉、水果、元寶及香燭、酒菜。自梳前夕，自梳女先用柏葉和黃皮葉煮水沐浴。翌日儀式開始，少女先在觀音像前三跪九叩，立誓永不嫁人，接着由一名年長自梳女教誨如何堅持獨身、獨立謀生和如何與各姊妹相扶持等。跟着少女自己在前額頭髮梳理三下，默念神靈保佑自己和家宅平安。隨後由年長自梳女拆開少女長辮，梳着頭髮，並盤起髻子，一邊念念有詞：「一梳頭，二梳壽，三梳靜心，四梳平安，五梳自在，六梳金蘭姊妹相愛，七梳大吉大利，八梳無災無難」。少女閉目入定，心向觀音，燭香裊裊，觀禮者屏氣肅立，只聞梳髮者喃喃細語，迴蕩於迷漫空中，儀式完畢，新自梳女換新衣鞋襪，含笑向各自梳姊妹一一行禮，並接受道賀及禮品，經濟充裕者，更會擺酒席宴客，最後新自梳女回家向父母及親友宣告已經「梳起」，又將祭品分給親朋戚友，從此便過上「自己的頭髮自己梳，自己的飯自己煮，自己的苦樂自己嚐」的自梳女生活。自梳後，其父母不能強逼出嫁，自梳女不能反悔，亦不容有越軌行為。自梳女新年亦如已婚者分派「利是」（壓歲錢）與小童。

自梳女的奇異習俗

古人相信未婚女性死後會淪為孤魂野鬼，因此一些自梳女為求心靈安妥，不惜採取一些怪異行動，譬如「買清守」、「買門口」或「不落夫家」等。所謂「買清守」，是通過媒婆找一名死者出嫁，亦即「冥婚」，相信嫁與一名素未謀面死者，日後便可以老死夫家。所謂「買門口」或「不落夫家」，指自梳女與一男士結婚，婚後不同房，有即晚由自梳姊妹搶回姑婆屋，亦有三朝回門即返娘家生活，寧願花錢為所謂丈夫娶妾侍，開枝散葉，繼後香燈，服侍翁姑，自己長駐在外，不聞不問。明末廣東番禺著名學者屈大均（1630-1696）之髮妻劉氏便是不落夫家自梳女，後娶王氏為繼室。不落夫家的自梳女，一年只有新年、端午節及中秋節回夫家，來去匆匆，視丈夫如無物，甚至視如仇人，絕不過夜，絕不妥協；如丈夫有暴力行動，自梳女或會有投河、自縊的激烈反抗行動。已婚自梳女亦有索性在節前往姊妹住處躲藏，以免夫家到娘家要人，這行動叫「走節」，待節後數天才回娘家。

已婚自梳女委曲求全通過「買清守」、「買門口」或「不落夫家」去買一個希望，無非是替自己離世後孤魂有一主能進入的門戶，成為能享受後代供養的祖先。自梳女依附一段虛無的陰間或陽間婚姻以求心靈慰藉，這處境更突出她們的孤立無奈和悲涼心態。

自梳女的辛勤人生和歸宿

從清代開始，順德靠大量自梳女參與繅絲生產，另外有眾多從事種桑、養蠶等工作。孜孜不倦的自梳女，為順德爭得「南國絲都」和「廣東銀行」的美譽，更贏得「一擔桑葉一擔米」，和「一船絲運出，一船白銀歸」的美好景象。到上世紀二十年代，順德繅絲業轉趨下坡，土絲銷路一落千丈，絲廠紛紛倒閉，自梳女為求自立，多結伴到城市做「梳頭姑」，或遠去香港、澳門和南洋當女傭。燒得一手聞名「媽姐菜」，加上忠心、和寬、儉勤和護主，成為大戶人家的搶手貨；亦有終身服務兩代甚至三代主人，把少爺小姐們一個個「抱大」，儼然成為家庭受尊重分子，對家裏大小事都會參加意見。自梳女差不多將全部收入儲蓄，把血汗錢寄回鄉間幫助兄弟或侄輩娶妻或買田買屋，預備將來落葉歸根，她們退休多在姑婆屋聚居。

解放前，南洋自梳女自發成立同鄉會，新加坡自梳女捐款者四百餘人，連順德本地捐款者百餘人，籌建自梳女安老院，座落順德均安沙頭。一九五一年，安老院「冰玉堂」成立，取自梳女玉潔冰清之意，凡本鄉海外自梳女都可入住，不收住宿費。「冰玉堂」內有一側房，裏面供奉着很多均安沙頭黃姓自梳女買下的長生牌，每個牌上都有一自梳女名字，牌上蓋一張紅紙，一旦某自梳女去世，其他姊妹便揭開長生牌上紅紙，變成此人靈牌。各牌位層層疊疊，秩序井然，好像當年她們規規矩矩、恪守盟誓和言聽計從。每個名字背後都有一段歡樂悲戚的曲折故事。新中國成立後，自梳女思想起大變化，大都搬回與親人同住。

後語

一九三一年，香港新世界戲院放映一套南洋公司製作的哀艷粵語片《自梳女》，由名女演員李綺年和梁淑卿主演（李綺年在三十年代後期為情服毒身亡，梁淑卿八十年代在香港各電視台作甘草老角）。電影《自梳女》的報紙廣告附有一首打油詩，訴盡自梳女甘苦：

順德女郎，奇風異俗。
自食其力，生活富足。
不願嫁夫，不願生育。
組自梳會，進姑婆屋，
同性相聚，無逾骨肉。
經濟侵略，絲業結束。
離別鄉井，步入地獄。
烏衣隊裏，群雌粥粥。
土鯪魚艷，難免污濁。
墮落失身，分訴忍辱。
無限惆悵，無限感觸。
不堪回首，痛此遺毒。

星加坡自梳女合照（約 1940 年代）

每逢週末香港中環廣場走廊一帶，密密麻麻滿佈穿紅着綠的菲律賓和印尼外傭，或坐厚紙皮上，或臥雨傘下，或互相梳頭染彩指甲，或高談嬉戲，或群食笑罵；人們很難想像大半個世紀前，附近兵頭花園的另一個情景，艷陽下少爺和小姐們在杜鵑花叢奔走遊玩，怒放的紫荊花旁有一群烏衣白褲的活躍身段——明亮眼目，呵護備致，柔韌身軀，樂觀堅忍，歷盡滄桑，淡然面對。到如今，一切都成為矇矓的集體回憶，交織着一片揮之不去的兒時夢影！

《多倫多文藝季》

第四十四期（二〇〇八年十月）

回港雜記兩則——羅慷烈教授和豐一吟女士

前言

二〇〇九年夏季回香港小住，短短一個六月份內，有兩位中國著名學者逝世——北京季羡林和香港羅慷烈，為學術界無可彌補損失。七月中旬，中國著名學者豐子愷的幼女豐一吟從上海飄然來港參與文化活動，難得有機會與她聚首話舊。筆者試從日記剔出一些資料寫此小文，旨在漫談羅慷烈教授和豐女士。

羅慷烈教授（1917-2009）

羅教授原籍廣東合浦，一九四〇年畢業中山大學文學院中文系。一九五六年執教香港培正中學國文科，鍾景輝和趙世曾都是那時他的學生。四年後羅教授轉往香港羅富國師範學院任中文科講師，他的著作《中學中文教學法》成為香港大學教育系及中文大學教育學院主修中文的必讀參考書。不久羅教授與門生馬鳳兒結婚，「羅馬之戀」成為當年教壇佳話。羅教授與師範學院同事陳家煦、戴國材和李國榮為好友，有收藏字畫的共同嗜好，稱「師範四子」，四人都先後在加拿大和香港謝世，當年大家課餘逛嚤囉街競淘舊字畫的情景已成明日之花。羅教授任職師範學院九年後，於一九六六年獲聘任香港大學中文系講師。一九八三年退休後，仍在系內指導碩士和博士研究生，羅教授研究中國古典文學，特別詞、曲方面有聲於時，對宋代各詞家如蘇東坡、柳永、吳文英、周邦彥等有精闢發明，並糾正一般錯誤觀點。

二〇〇九年六月八日是個艷陽天，早上十時我拜訪住在香港北角的羅教授伉儷，九十二歲的羅教授明顯比去年清減不少，出入要靠輪椅，但精神不太差。早一年見面時，他曾顧慮如何安排家中豐富藏書，我建議送與香港中央圖書館以嘉惠士林；數月後，他果然有行動，送出藏書，但婉卻任何贈書儀式。今年重訪羅寓，大廳入牆書架顯見零落。羅教授不忘送我簽名本大作《文史閒譚》，又略介紹環繞大廳古玩櫃內青花瓷器，並出示所藏董其昌書法軸，目光流露興奮，但當面對空洞書架又現失落眼神，交談時一會兒沉默異常，一會兒又有火氣嚴責一名學生的過份乖巧研究及出版。原本預備一齊外出午膳，最後因羅教授行動不便而改由其公子叫「外賣」回家；他特別鍾情「四川白肉」，但胃口一般，師母與我扶他由輪椅到另一椅子坐着吃，由於坐不穩，還是扶他回輪椅吃。飯後羅教授要睡午覺，我亦準備退出，師母慢慢推着輪椅入睡房，羅教授回頭望我，忽然提高聲線説「再見」三次，聲調特殊，好不尋常，我心暗料這次可能是最後見他面。六月十二日早上，有電話來説羅教授已於凌晨安然離世，距離會面不足四天。六月二十四日設靈，我與圖書館一眾舊同事往靈堂守夜，羅教授親友及弟子參加追思者甚眾。靈堂前高掛一觸目橫額，由羅教授摯友饒宗頤教授撰句「國失詞宗」，書法剛勁。羅教授是一代詞宗，著作等身，用「國失詞宗」形容他的離世與成就，等同尊稱他為國寶，這是非常恰當的。

豐子愷幼女豐一吟

香港七月炎夏迎來上海老朋友豐一吟，還記得第一次在上海她家中作客吃素菜的日子已經是二十多年前舊事。一如去年，豐大姐精神飽滿，不似七十九歲老人。豐子愷（1898-1975）早年漫畫內容有其子女影子，附圖是豐子愷筆下豐一吟十二歲時的模樣。豐子愷有三子（長子華瞻，次子元章及幼子新枚）和四女（長女陳寶、次女林先、三女寧馨及幼女一吟）；華瞻、新枚和林先已先後逝世。豐新枚在上世紀八十、九十年代在香港工作，一直與我有來往，退休回上海，不幸一次外出午飯後突然中風，身體往後倒下觸地頭部重傷不治，非常可惜。豐子愷日記有記載新枚一九三八年十月二十五日在戰時桂林出生，豐子愷當日因事忙未有即時到醫院探望妻子和初生嬰兒，來人只報告母嬰平安；到翌日豐子愷送別亦師亦友的著名學者馬一浮離開桂林，馬氏道賀，並即問所生是男是女。豐子愷未能答，但說是生了一個「人」，聞者都失笑。豐氏特別疼愛幼子新枚，解放後將抗戰時創作一批約百餘幅漫畫交新枚保存，我有幸三十多年前在上海豐一吟家觀賞這批珍品，的確是豐子愷壯年力作，豐氏晚年時曾照臨多套，分贈各子女留紀念，原作仍歸新枚收藏。新枚逝世後，其子豐羽將這批畫存放在深圳銀行保險箱。

二〇〇九年七月是豐一吟第二次應香港陳一心基金會邀請赴香港作香港作「豐子愷兒童故事創作比賽」頒獎嘉賓，並於七月十四日在香港會議中心書展主持一個文化座談會，題目是「豐子愷畫中的兒童世界」，參加者有五十餘人，包括研究豐子愷權威小思（前香港中文大學盧瑋鑾教授），另外大會又安排了十多幅豐子愷字畫真蹟展覽。小思在座談會問豐一吟一個頗尖銳問題：「豐先生一生弘揚愛人、愛物和護生，在文化大革命那沸沸騰騰的動亂日子裏，豐先生究竟以什麼心情和態度面對無理苛刻的批鬥和抄家？」豐一吟承認這是一個不易答的問題，更不是三言兩語便可點題作答，她應允將批鬥和抄家的一些記錄寄給小思，她還透露豐子愷在陝西南路寓所「日月樓」不止一次遭抄家，甚至連豐氏私人圖章亦被抄走，當年上海畫院豐氏同事亦參與日月樓的批鬥，行動尚算溫和，只有一位同事有一次當眾掌擊豐氏面頰，後來此人移民美國，豐新枚一生都恨透他。豐一吟多年耳濡目染，她模倣其父書法和畫作幾可亂真，我在座談會上問了一個問題：「上世紀八十年代起已有豐子愷字畫偽作出現市面，這數年來情況更甚，究竟如何辨別偽作？」豐一吟謂其父字畫已有國際市場，故有人偽其作品以圖利。總括來説：豐子愷素描底子深厚，加上天份與勤奮，其畫作線條筆筆爽利，純真與深情氣氛撲面而來，(見附圖豐子愷作品《KISS》)。偽作卻是有形無神，而帶着濃厚匠氣。她強調如果畫面只側重複雜經營，而且過份工筆，肯定是偽作。此外，如果線條不是爽利一筆過而出現不必要翻筆者，亦不是原作。又豐子愷書法有難以形容的韻味特色，偽作者輕浮、軟弱而無性格，若小心觀察每一個字，便不難發現漏洞。豐一吟又強調其父是個創作多面手，除書畫外，亦專長散文、詩、詞、佛學、音樂、文藝評論、文學翻譯(英文、日文、法文、德文、俄文)，所以研究豐子愷學術不是一件容易事，她謙稱自己只是初入門，絕非通透其父各方面成就。

整個座談會氣氛是輕鬆的，好像一家人閒話家常。豐一吟年青時曾學京劇，喜唱青衣，在各人的掌聲中，她清唱一段豐子愷老師弘一法師(俗名李叔同)早年著名作品《送別》(豐子愷重新填詞)，眾人都陶醉在美妙動人的歌聲。場外是三十四度高温，那邊廂有年輕模特兒在書展亮相，吸引着另類目光，但座談會場內，充滿無限温馨，恍如一泓清泉，沁人心脾，有幸參與者都是蒙福有緣人。

刊《多倫多文藝季》
第四十八期（二〇〇九年十月）

豐子愷作品《KISS》（約 1940 年）

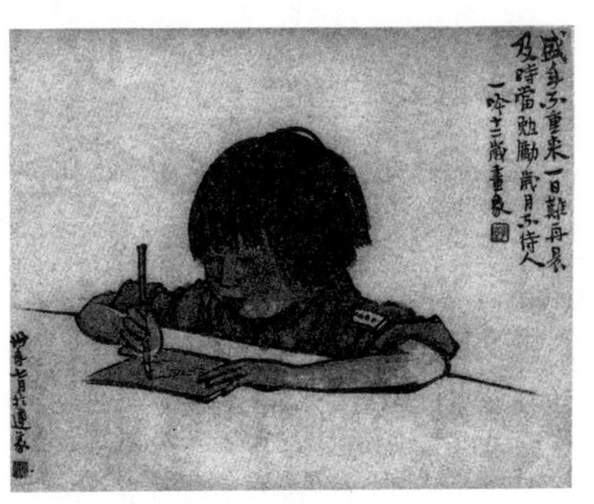

豐子愷作《一吟十二歲》，寫於貴州遵義（1941 年）

都市大忙人，何不閒一閒？

「忙」與「閒」

大都會生活節奏快，「快速」與「忙碌」是孿生，人們見面第一句多是「近來忙到怎麼樣？」或者「近來忙些什麼？」，對方答案往往是廣東式的「得閒死，唔得閒病。」或直接答「忙死了！」，恍惚「忙」是理所當然的。「忙」字的組織是左「心」右「亡」，使人更觸目驚心。「忙」的原因大都根植「名」和「利」，腦袋裏終日以名利為鵠的，胸膛裏只得一個「煩」字，容不下一個「閒」字。君不見現今當官的官階越高，笑容越少；做經理的經常被修理；經商的，經常受傷；做老板的，老板着臉，為什麼？因為「煩」緊隨「名利」從前門闖進來，「清閒」便由後門溜走。

近來香港人生活的確明顯日益忙碌，鬧市如銅鑼灣、中環、旺角等區行人都好像正進行個人或小組競步賽，行路速度已超越東京、紐約、倫敦等大都會。隨着資訊科技發達，都市人連思想休息也大受剝削。筆者最近回香港，在地鐵曾目睹鄰座少婦由新界天水圍總站到九龍美孚站轉車，再到港島中環站，沿途一直不停以手提電話與同一接聽者對話，內容不離八卦娛樂新聞。筆者冷眼環顧左右，總有七、八名乘客正從事電話閒談活動，另外等電話的乘客亦多表現心事重重，電話鈴聲驟起時又引起眾人警覺是否自己來電而做同一動作，各人都恨不得每一秒空閒都填塞得密不透風，似乎人們都忘記人生有很多中途站，為何不給自己享受「閒一閒」？

「但少閒人」

「閒」字的結構是「門」裏有「月」，所謂「月色入戶」為閒，這是一種悠然境界。筆者忘不了讀小學五年級時念北宋文學家蘇軾（1036-1101，四川眉山人）作的一篇短文〈記承天寺夜遊〉，點出「閒」的妙處，我現在仍隨時可以默念；過去數十年經歷幾許起跌浮沉的關鍵時刻，我總不覺地記起這篇精彩短文。寒齋藏有清代黎簡（1747-1789，廣東順德人）及陳璚（1827-1905，廣西貴縣人）的行書條幅，內容就是此文，可見知音人不少，現記錄如下供讀者重温：

元豐六年十月十二夜，解衣欲睡，月色入戶，欣然起行，念無與樂者，遂步至承天寺尋張懷民，懷民亦未寢，相與步於中庭，庭下積水空明，水中藻荇交橫，蓋竹柏影也。何夜無月，何處無竹柏，但少閒人如吾兩人耳！

北宋元豐六年，即公元一〇八三年，距今九百三十多年，蘇軾時年四十八歲，是因政治問題被貶官黃州為團練副使第四年，在放逐中仍享有自由，日常多與田老野夫閒適交談，又築室於東坡，故自號東坡居士。上述短文，只有八十二字，一氣呵成，用字洗練，自然雋永；傳世文章難得，傳世短文更難尋。文內記十月十二日夜，時近十五，漸圓朗月當空，蘇氏與好友閒步中庭，怡然自得。月夜下竹柏掩映，影隨風動，庭階恍如清潭中水藻交錯，如幻如真，環境滲透着寧靜、抒情的詩畫意。作者沉醉於晶瑩月色，何其清澈，享盡逍遙清福，無怪乎他不禁輕喟：「何夜無月，何處無竹柏，但少閒人如吾兩人耳！」，「月」與

「竹柏」都是外物，「閒福」才屬內心，寥寥數語，盡顯作者豁達人生觀。表面閱讀此文不覺得什麼，容易輕輕帶過，要用心細讀才察覺其深意。蘇學士在九百多年前已歎世間少閒人，何況今天香港這個千變萬化大都會。

「悟靜」的境界

佛學《華嚴經》重視體會「心無所著」，意思就是閒逸無牽掛，強調心靈的「閒」，而非身體軀殼的「閒」。弘一法師（1880-1942，俗名李叔同）最了解「閒得着」，連寫信都以閒心書寫，句與句間都有渾圓圈點，毫無急促氣，恍如不食人間煙火。二十年前我偶見一冊弘一法師的信札真跡，計有八通，內容談及《復生畫集》，有其入室弟子豐子愷（1898-1975）題字，整冊十分搶眼，物主叫價港幣五萬元，我缺乏銀両，沒有收購，介紹給對弘一書法情有獨鍾的蔡瀾，他也沒有買入，大家都走寶，不知現今花落誰家，多年來總覺有些遺憾未能擁有，就憑這點，筆者始終是「心有所著」的凡夫俗子。

二〇一〇年某國際拍賣行在極速時間內拍出弘一法師一副《華嚴經》楷書五言聯（見文本附圖），寫於一九三〇年，時年五十歲，聯文是：

其心無所著

諸佛常現前

簡單用語體文解釋聯意是：「心頭閒得着，真理便呈現」；因此忙碌而又重真理的都市人，為何不給自己機會享受「閒一閒」？但讓我告訴大家，上述對聯當日的起拍價是港幣八萬元，經過多人多番舉手競投，最後拍出價連佣金是港幣七十四萬元；這樣說來，便恐怕又有人「閒不着」了！

第四十九期（二〇一〇年一月）

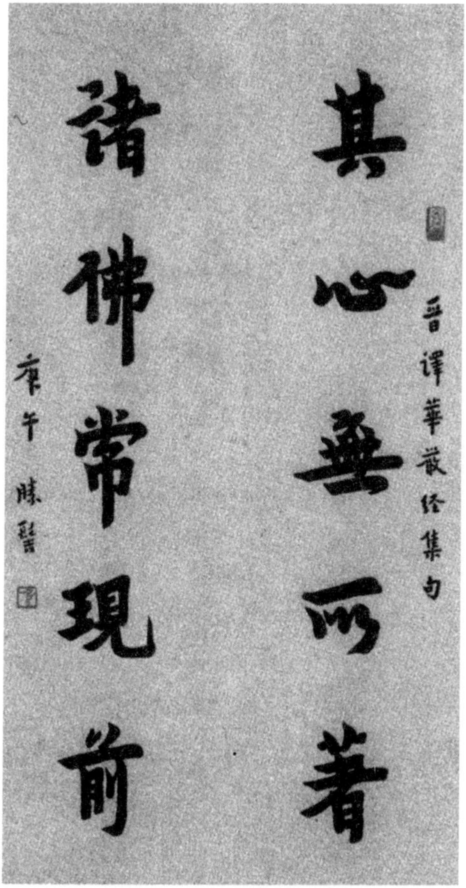

《多倫多文藝季》

弘一楷書五言聯 65 x 16 公分（1930 年作）

使兒童歡笑的《伊索寓言》

寓言的特色

寓言和童話都是兒童文學重要一環。寓言是產生在古代而有寄意和具教訓的故事，內容主角除人物外，亦有人格化的動物、植物等。中國古典文學《莊子》、《韓非子》都有以寓言寄託意思，莊子自謂著作「寓言十九」，即十分之九的內容都是話中有話，「愚公移山」就是一個顯著例子。中外寓言是人類知識、智慧的結晶，以譬喻透過人物、鳥獸蟲魚、植物等揭露、批評及嘲笑人類缺點：文字精鍊、幽默而生動，兼且趣味、機智和諷刺，使人讀後難忘。最著名的寓言集《伊索寓言》老幼咸宜，其中譬如寓意「不以弱勢為無用」的「龜兔競跑」、「獅子和老鼠」，給兒童留下不可磨滅的印象。又如狐狸吃不到葡萄，就說葡萄是酸的，狼披上羊皮就能騙食更多的羊，更是家傳戶曉。著名文學家魯迅辛辣雜文中，曾多次成功引用《伊索寓言》筆伐強權，嘻笑怒罵，並尊稱《伊索寓言》作者高據希臘羅馬文學史寶座。

《伊索寓言》作者

《伊索寓言》作者名伊索，是公元前六世紀（中國春秋時代）生活在希臘的一名奴隸，相貌奇醜，絕頂聰明，富反抗精神，因無數次揭露及評擊奴隸主人和權貴而遭轉賣十餘次，後來更被暴打成殘廢。最後的主人是一位有民主思想哲學家，頗欣賞伊索才智，給予自由身，並派往希臘各地辦事，廣泛接觸民間各階層，但仍照舊不斷攻擊及揭露權貴敗行，最終被控褻瀆神靈，遭人推下懸崖慘死。伊索一生創作大量寓言，民間口語相傳，不脛而走。公元前三世紀（中國戰國時代），希臘雅典哲學家已收集三百餘則寓言。現在差不多所有國家都有《伊索寓言》譯本。

舉一個例子

為提升讀者興趣，筆者試錄一則〈狼與小羊〉寓言如下：

狼在河的上游閒蕩覓食，看見一隻小羊在下游河邊飲水，狼費盡心思想把小羊作為午餐，而苦無藉口，於是對小羊說：「小羊，你心腸惡毒，竟把河水攪得渾濁，使我無法喝一口清水。」小羊惶恐回答：「狼大哥，我正在河下游走動，水向低流，不可能把上游的水弄渾濁呀！」狼知道自己理虧、略思考後厚顏說：「小羊，你去年曾當眾罵我，今天我非報仇不可。」小羊又惶恐回答：「狼大哥，這又是不可能的，我去年還未出生呢！」狼惱羞成怒大吼道：「蠢才！不要胡說，反正你生下來就是個壞東西，我就是要吃你！」說罷立刻撲殺了小羊。

上述寓言告訴我們：對於一些存心作惡的人，任何合法合情合理的辯解都無濟於事，作惡者仍舊一意孤行。古往今來，無論是家事、國事、政治文化、辦公室文化等，都會體會到「狼與小羊」的縮影。試舉一連串歷史實例：宋代秦檜以「莫須有」罪名殺害岳飛；一九〇〇年八國聯軍侵華；一九〇四年，為爭奪在中國利益，日本俄國公然踐踏國際公義，竟然在中國東北領土展開日俄戰爭，結果日勝俄敗，播下以後日本侵華惡種子；一九三一年，日本部署計劃柳條溝爆炸，藉口華軍攪破壞而發動「九一八事變」；一九三七年，日本又藉口北平市郊演習日軍失蹤，爆發「七七事變」；兩次世界大戰及其後多次大大小小區域衝突，總離不開狼欺負小羊的橫蠻理據和「吞滅為性」的模式。近年來更多聽到遠遠近近的狼嚎、聲浪低而長，惹人不安，又嗅到遠遠近近小羊的血腥，憂鬱而悲傷；那種顏色，那種聲音，那種神氣，總使人驚駭，證明披着羊皮的狼要比惡狼更陰毒。

《伊索寓言》在中國的沿革

《伊索寓言》是最早傳來中國的西方文學名著。明代天啓五年（1625年）由法國傳教士在陝西口譯，然後由華人張賡筆錄編印成書。（張賡，天主教徒，教名保羅，傳說是他首先發現景教碑），中譯本名《況義》。「況」是「譬喻」，「義」是「意義」，以現代來説便是「寓言」。《況義》只錄寓言三十二則，包括上面介紹的〈狼與小羊〉和耳熟能詳的〈銜肉的狗〉。巴黎國家圖書館藏有《況義》抄本。事隔二百多年到清代，《伊索寓言》有以下三種譯本：

（一）《意拾蒙引》（「意拾」即伊索另一粵音譯，譯意傳神）。清道光二十年（1840年）廣東出版，刊印後風行一時，讀者津津樂道。該譯本提供了明代譯本《況義》的線索。東京上野圖書館藏有《意拾索引》。

（二）《海國妙喻》清光緒十四年（1888年），天津時報印，張赤山譯，選擇寓言七十則，每則冠以名目。張氏在序言強調此書「談笑詼諧，如暗室之燈，如照妖之鏡。」

（三）《希臘名士伊索寓言》，清道光三十二年（1906年），林紓譯，與嚴培南、嚴璩兄弟（近代思想家嚴復兒子）合作編印。全書譯寓言三百餘則，為當時最完備譯本。亦是首次定名為《伊索寓言》。

直接從希臘文譯中文的《伊索寓言》，要到一九五五年才出現。一九六三年再版，為北京人民文學出版社「外國古典文學名著叢書」之一，譯者周作人（1885-1967，魯迅弟）。事緣一九五〇年二月，出版家鄭振鐸從上海中法圖書館借來希臘文《伊索寓言》及法文譯文，請周作人譯為中文；周氏熟識希臘文，以法譯本作參考，由三月十七日至五月八日完成翻譯，效率很高，後由開明書局轉交北京人民文學出版社出版。解放後，國內和香港先後出版多種《伊索寓言》中譯本，篇幅參差，這裏不多談了。

小結

近年資訊科技發達後，兒童及青少年多已熟悉使用電腦，人手一部，十指運作如飛，在互聯網上超級大道縱橫馳騁，廢寢忘餐。筆者絕不懷疑他們可以隨時上網閱讀《伊索寓言》，但我總以為做家長的，不妨找機會送他們一本白紙黑字的《伊索寓言》，讓他們真真正正、實實在在的觸紙動腦，在陽光下盡情閱讀，享受一本一百年前翻譯大師林紓推崇為「能使兒童聞而笑樂」的啟蒙讀物。許多年後，等兒童變成中年或老年，再重拾重讀此贈書時，他們必明白，原來一生記憶中，真有不可忘懷的顏色鮮明圖畫，亦當會興起別有一番滋味和體會。

《多倫多文藝季》

第五十七期（二〇一二年一月）

又有鮮花戴——集體回憶的廣州古老童謠

多年前，黎炳昭藝術中心舉辦兒童文藝講座，筆者應黎炳昭賢伉儷邀請作短講「兒童故事的功能」。講前筆者請黎太帶領眾嘉賓一齊唸「月光光，照地堂，年卅晚，摘檳榔，檳榔香，摘子薑……」的一首傳誦逾百年的廣州童謠；一時一百多位男女老幼同聲一字不漏唸出，氣氛異常高漲，可見樹下井湄的古老童謠，具有豐富生命力，只有中國人的地方，都歷久不衰。筆者試介紹幾首古老廣州童謠，或者會無端挑起親愛讀者久埋的回憶，一再重温那青梅竹馬夢。

民間藝術與童謠

民間藝術範圍廣闊，包括歌謠、謎語、諺語、歇後語等，而童謠（兒歌）更是歌謠中最蘊含豐富和取材廣泛。童謠出現古今中外每一地域，是各階層群眾久經生活經驗，不斷增減消化而成為美好的集體回憶。童謠內容樸實單純，自然率直，無偽滑稽和重疊押韻，總帶出一種縈懷的情緒。

筆者介紹的四種童謠，分別為眠兒歌（或稱催眠歌）、小兒自唱歌、小兒遊戲歌和小媳婦心事歌。所舉例子都超過一百年，風行廣東珠江三角洲一帶。為方便非廣府讀者，特別地道的廣州話，會在括弧號內加以簡單解釋，而在每一類別後，我會簡略漫談，以增興趣。

各類古老廣州童謠

第一類：眠兒之歌（催眠歌）

一、「愛姑乖（『愛』字，讀『愷』音，輕搖小兒之意），愛姑眠，愛姑唔眠大覺（『唔』，即『不』，『覺』，讀作『教』音），先先得阿姑一身藤條痕，（第一『先』字作先後之『先』解，第二『先』字，作『打』解，音『鱔』），眼淚唔乾又去眠。」

二、「愛姑乖，愛姑大，愛姑大來嫁後街，後街有鮮魚鮮肉賣，又有鮮花戴，戴唔哂（戴不盡之意），丟落牀頭老鼠拉，拉去大新街，大新街有人打醮，跪落船頭攞飯焦，攞到飯焦又沒餸，買魚買肉買隻大蝦公，蝦公跌落鑊，仔爺仔乸剝蝦殼，剝得筲箕零一大鑊（『零』，即『加』意），蝦頭似木鑿。」

三、「落大雨，水浸街，阿哥擔柴上街賣，阿媽教我做花鞋，花鞋花腳帶（女子纏足帶），一串珍珠兩邊排，阿姑擔水賴葫蘆（『賴』字，淋灑之意），賴得葫蘆瓜咁大，人人都話阿姑乖」。

以上三首兒歌，小兒尚在襁褓，由大人唱以眠兒，有催眠作用。提到纏足用的花腳帶，可見是百年以上作品。其中內容提到「嫁後街」、「花鞋花腳帶，一串珍珠兩邊排」，可見唱兒歌的婦女期待美好生活心態。

第二類：三歲小兒初唱之歌

一、「雞公仔，尾婆娑，三歲孩子學唱歌，唔使（不必的意思）爹娘教導我，自己精乖無奈何。」

二、「打掌仔，買鹹魚，鹹魚淡，買烏欖，烏欖甜，買個添（再買一個的意思），人唔俾（『唔俾』，即不給與意思），頓地攞翻錢（『頓』，即『頓足』，『攞翻』，即取回之意）。」

三歲小兒開始識唱歌仔，內容都是日常眼見各物，順口而出，把「雞公仔」、「鹹魚」、「烏欖」等都收入歌中，其中含有妙語，譬如「人唔俾，頓地擺翻錢」，唱出了小兒的無偽心態。

第三類：小兒遊戲之歌

一、「排排坐，食粉果，唔俾錢（不出錢的意思），切耳朵，豬拉柴，狗透火，烏蠅擔凳姑婆坐，坐爛屎忽咪賴我。」

二、「麻雀仔，叼樹枝（『叼』，讀「擔」音），叼上崗頭望孩兒，孩兒梳隻菠蘿髻，摘朵紅花伴髻圍，辮仔又長腳又細，好好花鞋踩落泥。」

三、「拍大髀，唱山歌，人人欺負我沒老婆，的起心肝（決定也）去揾番個，有錢娶個嬌嬌女，無錢娶個豆皮婆。豆皮婆食飯食得多，屙尿屙屎一大籮，屙尿冲大海，屙屁打銅鑼」。

三歲以上小兒除自唱外，亦會玩集體遊戲，如耍盲雞、爭凳坐等。他們遊戲時所唱的歌，都未脫去眼前景物，以豬、狗、烏蠅、麻雀等作為點綴。現分男女小孩來説，漸漸長大的女孩子開始模仿大人梳髻，並伴以鮮花以增美態；又有小女孩紮長辮子，配上一雙小足，更為可人。料此兒歌必是纏足時代產物。至於同年紀的男孩子，多比較頑皮，群童一起唱拍大髀唱到娶老婆，最後又胡扯到日常排便，從大人角度看，當然是難登大雅之堂，但在小兒心目中則毫無尷尬。我還記得兒時每當唱到「有錢娶個嬌嬌女，無錢娶個豆皮婆，豆皮婆食飯食得多」，便期待大聲唱出下面三句而笑彎腰。原來小孩子講「屎尿屁」總是笑嘻嘻的，因為都是形聲俱備，是他們日常一定接觸的神秘而有趣的東西。

第四類：小媳婦心事歌

「雞公仔，尾彎彎，做人新抱（小媳婦）甚艱難，早早起身都話晏，眼淚唔乾（不乾）入下間（廚房）。下間有個冬瓜仔，問安人（家姑）老爺（家翁）煮定蒸（『定』，即『或者』），安人又話煮，老爺又話蒸。蒸蒸煮煮唔中安人老爺意。手甲（小量）挑鹽又話淡，大揸（多量）拿鹽又話鹹，三朝（三日）打爛三條棍，四朝跪爛四條裙。咁好花裙被你跪爛，咁好石頭被你跪崩。橫又難，豎又難，不如捨命落陰間。人話陰間條路好，我話陰間條路甚艱難。」

這是童謠中的一種怨歌，大抵小媳婦因受惡家姑虐待而自怨自艾，但始終無怨恨丈夫，或者丈夫仍然是一名小童。據説順德自梳女都是梳起終身不嫁，其中一個原因是怕遇上惡家姑，從道聽途説做小媳婦之苦而編製此兒歌，以舒懷抱。

後語

我喜愛古老廣州童謠的樸實無邪，一種沒有亦無需包裝的民間藝術，兒童可從中獲得音樂、語文、常識等啟蒙。如果讀者輕聲細讀上述介紹之兒歌三兩次，必然會淘出久藏的童心，説不定帶來一些甘苦情懷，重温那摸不着的當年童真。筆者忘不了數十年前少年的我，好一段日子晚上總聽見同屋老女傭蓉姐伴小兒睡時以純正順德鄉音唱出上面介紹的兒歌「愛姑乖」，每唱到「愛姑大來嫁後街，後街有鮮魚鮮肉賣，又有鮮花戴，戴唔哂，丟落牀頭老鼠拉……」，其中押韻的「街」、「賣」、「戴」、「哂」、「拉」各字刻意以鄉音拉長唱，真的如怨如慕，蕩氣迴腸，感染力強，大半個世紀以後仍然是忘不了。

每年欣賞七一回歸紀念的維港煙花匯演，尖沙咀海傍一帶遊人如鯽，各人奔走相告：「又有煙花放」。維多利亞港上爆出閃光鈍響，伴以高頻度中西音樂；煙火音響交織擁抱了整個海港，熱哄哄中彷彿宇宙音樂眾聖都飽餐音響與煙花，醉醺醺的在上空蹣跚起舞，但我寧願聆聽那操純順德鄉音老傭婦當年靜夜吟唱那句「又有鮮花戴……」，雖然是遙不可及，卻在夜空低迴！

《多倫多文藝季》

第四十期（二〇〇七年十月）

本創文學 78

藝文歲月

作　　者：吳懷德
責任編輯：黎漢傑
法律顧問：陳煦堂 律師

出　　版：初文出版社有限公司
電郵：manuscriptpublish@gmail.com

印　　刷：陽光印刷製本廠

發　　行：香港聯合書刊物流有限公司
香港新界荃灣德士古道 220-248 號
荃灣工業中心 16 樓
電話 (852) 2150-2100 傳真 (852) 2407-3062

臺灣總經銷：貿騰發賣股份有限公司
電話：886-2-82275988 傳真：886-2-82275989
網址：www.namode.com

新加坡總經銷：新文潮出版社私人有限公司
地址：71 Geylang Lorong 23, WPS618 (Level 6), Singapore 388386
電話：(+65) 8896 1946 電郵：contact@trendlitstore.com

版　　次：2023 年 5 月初版
國際書號：978-988-76545-2-0
定　　價：港幣 98 元　新臺幣 360 元

Published and printed in Hong Kong

香港藝術發展局
Hong Kong Arts Development Council 資助

香港藝術發展局全力支持藝術表達自由，本計劃內容不反映本局意見。

香港印刷及出版